MATKA SUOMEEN

Journey into Finland

Pekka Luukkola

MATKA SUOMEEN

Journey into Finland

We hope your journey into Finland will give you great memories.

Helsingissä Kustannusosakeyhtiö Otava
Otava Publishing Company Ltd.

Valokuvat, teksti, graafinen suunnittelu ja typografia: Pekka Luukkola AFIAP
Photographs, text, graphic design and typography: Pekka Luukkola AFIAP
Käännös – *English translation:* Malcolm Hicks
© 2003 Pekka Luukkola & Kustannusosakeyhtiö Otava – *Otava Publishing Company Ltd.*

Matka Suomeen -kirjan ja valokuvanäyttelyn tukijat ja yhteistyökumppanit –
This book and the accompanying photographic exhibition are sponsored by:

Suomen tietokirjailijat ry – *Finnish Association of Non-fiction Writers*
Ympäristöministeriö – *Ministry of the Environment*
Patricia Seppälän säätiö – *Patricia Seppälä Foundation*
Finnfoto ry – *Central Association of Finnish Photographic Organizations*
Metsämiesten säätiö – *Metsämiesten säätiö Foundation*
Matkailun edistämiskeskus MEK – *Finnish Tourist Board*
sekä – *and*
Lemcon Oy, Finnkino, Nikon Svenska & Fuji Finland.

Värierottelut – *Colour reproduction:* Kustannusosakeyhtiö Otava – *Otava Publishing Company Ltd.*
Painotyö ja sidonta – *Printed and bound by*: Otavan Kirjapaino Oy – *Otava Book Printing Co. Keuruu 2006*
Valokuvien tekninen laadunvarmistus – *Technical quality control of photographs:* Pekka Luukkola
Paperi – *Paper:* Galerie Art Silk 170 g/m^2 *by M-real Äänekoski Paper*
Painovärit – *Printing inks*: Hostmann-Steinberg Resista Eco F9550
Stokastinen rasteri, pistekoko 20 µm – *Frequency modulated screening, spot size 20 µm*

Kahdeksas painos – *Eighth edition*

ISBN-13: 978-951-1-18925-1
ISBN-10: 951-1-18925-5

SISÄLLYS   CONTENTS

LUKIJALLE

Tämän kirjan tavoite on tehdä matka Suomeen ja suomalaisiin maisemiin. Matka vie toisaalta historiaan, kun kerron aluksi niistä luonnon tapahtumista ja ihmisen vaikutuksista, jotka ovat muovanneet Suomea ja sen maisemia kaukaisista ajoista nykyaikaan. Toisaalta matka kulkee halki Suomen, kun pyrin esittelemään monipuolisen maamme erilaisia näkymiä ja luonnon monimuotoisuutta.

Kirjan kuvitus on luontopainotteinen, koska koen luonnon- ja kulttuurimaisemat miellyttävimmäksi tavaksi esitellä kiehtovaa maatamme. Luonnossa ovat myös suomalaisten juuret: maamme pinta-alasta on edelleenkin taajamien ulkopuolella yli 98 prosenttia. Kaupunkinäkymien pienehkö määrä kuvastaa, että kaupungit ja teollistuminen ovat kuitenkin varsin uusia ja lyhyitä kehityksen vaiheita. Luontokuvien kanssa samassa kirjassa esitettynä ne ilmentävät ja ehkä korostavatkin luonnon ja ihmisen rakentaman maiseman eroa.

Vaikka kysymyksessä on kuvateos, se sisältää kuitenkin kohtalaisen määrän tärkeäksi katsomaani tietoa Suomesta. Asioiden taustat ja tekstin kirjoittaminen merkitsevät minulle syventymistä kuvaamiini aiheisiin, ja tätä tietoa haluan välittää myös muille. Laajasta aiheesta kirjoittaminen on vaatinut perehtymistä yllättävän suureen määrään eri alojen kirjallisuutta, josta lähdeviitteisiin olen valinnut vain tärkeimmät.

Tekstissä olen pyrkinyt objektiivisuuteen, mutta kuvissa olen halunnut esittää Suomen kauniina. Komean maiseman löytäminen on aina ollut minulle haaste. Silmääni miellyttäviä kohteita olen kuitenkin löytänyt yllättävän harvoin: tätäkin kirjaa varten olen matkannut ympäri Suomea kolmen viime vuoden aikana yli 40 000 kilometriä. Perinteistä maisemakuvaustraditiota noudattaen olen noussut lukemattomille korkeille paikoille painavan kalustoni kanssa.

Monissa valokuvissa erityinen tavoitteeni on ollut mahdollisimman suuren syvyysvaikutelman ja kolmiulotteisuuden saavuttaminen. Siksi olen laskeutunut myös alas, polvilleni, ja rajannut maisemakuvan etualalle luonnollisessa koossa näkyviä kasveja tai muita elementtejä. Palkkikameran suomin säätömahdollisuuksin on ollut mahdollista saada ne – ja maisema – toistumaan kuvassa täysin tarkkoina. Tästä ja muista tekniikkaan liittyvistä asioista olen kertonut kotisivuillani, koska näitä asioita kysytään minulta usein.

Nurmijärvellä ja Helsingissä kesällä 2003

Pekka Luukkola

PREFACE

This book sets out to take the reader on a journey into Finland, a journey into the history of the natural events and human influences that have shaped the country and its landscapes from earliest times up to the present, and a journey across the country in order to show the variety of its scenery and the diversity of nature within it.

The illustrations will tend to concentrate on natural and cultural landscapes, because I feel that this is the pleasantest way of introducing people to our magnificent country. Nature is part of our national roots, and even nowadays over 98 percent of the country's surface area lies outside the built-up zones. The small number of urban and industrial scenes may be taken as reflecting the fact that these represent relatively new and brief stages in our development, and their inclusion in what is otherwise a book of nature photographs may serve to underline the differences between landscapes created by nature and those created by man.

Although this book is primarily intended to be a compendium of photographs, it also contains a fair amount of information on Finland. The writing of this account has served for me as a way of delving deeper into the subject matter of the pictures, and I have felt a need to pass the information on to others. The treatment of such a broad topic has called for a vast amount of reading, and only the principal sources are cited in the bibliography.

I have tried to be objective in what I write, but I have unashamedly selected the photographs with an eye to showing Finland at its most beautiful. The discovery of a fine landscape has always posed a challenge for me, and thoroughly satisfying views have proved surprisingly rare. Altogether, I have travelled over 40,000 km around Finland in the last 3 years collecting these photographs and have dragged my heavy equipment up innumerable high places in order to be faithful to the old traditions of landscape photography.

One photographical aim in many of the pictures has been to achieve an especially powerful impression of depth and of the three-dimensional nature of the landscape, for which purpose I have often knelt down and attempted to design the picture to include some plants or other elements in the foreground in natural size. Fortunately the scope for adjustment provided by my beam-mounted view camera enables both these details and the landscape itself to be reproduced in perfect focus. I discuss these and other technical details in my home pages, as I am frequently being asked about such things.

Nurmijärvi and Helsinki, summer 2003

Pekka Luukkola

Kesäyö meren rannalla Hangon Tulliniemessä.
A summer's night on the shore at Tulliniemi, Hanko.

Kulttuurimaisema Nurmijärven Palojoelta.
The cultural landscape of Palojoki, Nurmijärvi.

Monien maisemien maa   A mosaic of landscapes

Maiseman voidaan sanoa olevan näkymä jostain paikasta. Se on kaikille samanlainen, mutta toisaalta katsojan omien mieltymysten, aiempien kokemusten tai kulttuuritaustan takia jokainen voi kokea maiseman omalla tavallaan.

Maisema myös elää jatkuvasti. Se muuttuu vuodenaikojen vaihtuessa ja näyttää päivällä aivan erilaiselta kuin yöllä. Myös nopea säänmuutos voi vaikuttaa suurestikin maiseman ilmeeseen. Samaa maisemaa voi tarkastella eri paikoista tai rajata siitä erilaisia osia. Yksikin paikka voi siis tarjota hyvin erilaisia maisemia. Tutustuttaessa Suomen eri osiin ja niiden maisemiin kasvaa variaatioiden määrä helposti äärettömäksi, mikä on toisaalta rikkaus, toisaalta hyvin haastavaa.

Ympärillämme näkemämme maisemat jaetaan yleisesti kahteen päätyyppiin: luonnonmaisemiin ja ihmisen muokkaamiin kulttuurimaisemiin. Tarkkaan ottaen täysin koskematonta luonnonmaisemaa on melko vaikea löytää. Sopivasti rajattu kuva syrjäisestä tunturista tai vanhasta ikimetsästä voisi olla sellainen. Näkymä metsän sisältäkin on siis eräänlainen maisema: lähimaisema.

Kulttuurimaisema voi olla maaseudulta tai kaupungista, vaikka alun perin käsitteellä onkin tarkoitettu maaseudun perinteistä viljelymaisemaa. Se on kehittynyt ihmistoiminnan pitkän historian aikana, kun on esimerkiksi raivattu metsiä pelloiksi, kaivettu ojia ja rakennettu teitä, siltoja tai taloja. Kulttuurimaisema on osa elävää elämää ja jatkuvassa muutostilassa eikä se koskaan tule valmiiksi. Se on kuin historiankirja, josta voi lukea paitsi nykyhetken myös menneiden sukupolvien ja ajanjaksojen vaikutuksia maisemaan.

Erityisiksi kansallismaisemiksi on nimetty Suomen komeimpia maisemanähtävyyksiä ja -alueita. Ympäristöministeriön asettaman työryhmän kartoituksen perusteella valittiin vuonna 1993 Suomen kansallismaisemiksi 27 eri tavoin arvokasta kokonaisuutta. Ne edustavat maamme eri osien merkittävimpiä luonnonpiirteitä ja kulttuurimiljöitä, ja monet niistä ilmentävät myös perinteisiä maankäyttötapoja ja niiden vaikutusta maiseman muotoutumiseen.

Suomi on monenlaisten maisemien maa, ja maamme luonto on hyvin moni-ilmeinen. Vaikka Suomen maankamara onkin kokonaisuutena varsin alava ja loiva, alueelliset ja paikalliset erot maan eri osien välillä saattavat olla melko suuria. Tämän voi havaita verrattaessa esimerkiksi Saaristomerta, Pohjanmaata tai Lappia toisiinsa.

A landscape may be looked on as the view from a particular spot. In a sense each landscape is the same for everybody, although people may react to it differently according to their own ways of thinking and their own experiences of life. Being a living entity, a landscape will also change with the seasons and be quite different in appearance by night and by day. A sudden change in the weather can also affect the tone of a landscape. On the other hand, the same tract of land can be viewed from different points or divided up in various ways, constituting in effect separate landscapes. As we set out on our journey into Finland, we have to admit that we will be dealing with an infinite number of landscapes and their variations, which is at once a challenge and a source of richness.

We customarily divide the landscapes that we see around us into two main types: natural and cultural. Strictly speaking, it is difficult to find entirely natural landscapes nowadays, but a picture taken within an ancient natural forest may come very close to this. Cultural landscapes, in our definition, may be found in both the countryside and the towns, in spite of the fact that the term originally referred to a rural, agricultural scene. Cultural landscapes have developed in response to a history of human activity, including the clearance of forests for fields, the digging of ditches or the building of roads, bridges or houses. They are a part of everyday life and are in a constant state of change, so that they are never complete, as it were. A cultural landscape is like a history book, from which one can read not only about present-day life but also about the visible impact of past times and generations.

A committee appointed by the Ministry of the Environment to select a set of "national landscapes" published a list in 1993 of 27 such landscapes that were of especial value in one way or another, representing the most significant natural characteristics and cultural environments of the various regions of Finland. Many of them also provide examples of traditional forms of land use and the ways in which these have shaped the countryside.

Finland is a country of great natural diversity, and therefore forms a mosaic of highly varied landscapes. Although it has a predominantly low-lying, gently sloping terrain, there may be great local and regional variations, as can be seen by comparing views of the Archipelago Sea, the plains of Ostrobothnia and the fells of Lapland, for instance.

Saaristomeren suurin hiidenkirnu. Dragsfjärd, Jungfruholmen.
The largest pothole in the Archipelago Sea. Jungfruholmen, Dragsfjärd. ▶

Mäntymetsää Pyhä-Häkin kansallispuistossa Saarijärvellä.

Pine forest in the Pyhä-Häkki National Park, Saarijärvi.

Fagervikin kartanon vanha ruukkialue Inkoossa on osa kansallismaisemaa.
The area of the old ironworks on the estate of Fagervik in Inkoo is a part of this national landscape.

Siilasjärvi Enontekiön Kilpisjärvellä.
Lake Siilasjärvi at Kilpisjärvi in Enontekiö. ▶

Kevätaamu meren rannalla Helsingin Meilahdessa.

A spring morning on the seashore at Meilahti, Helsinki.

Keskitalvinen kansallismaisema Kolilta Pieliselle.

The national landscape of Koli in midwinter.

Matka suomalaisen maiseman historiaan

Se, miltä tietty maisema tällä hetkellä näyttää, on usein hyvin pitkän ja monivaiheisen tapahtumaketjun tulos. Ymmärtääksemme maisemien ja erilaisten luonnonmuodostumien syntymisen taustaa on aluksi parasta siirtyä ajassa huomattavasti taaksepäin.

Maapallo tiivistyi hitaasti kosmisesta materiasta noin 4,6 miljardia vuotta sitten pieneksi osaksi aurinkokuntaa ja lähes käsittämättömän laajaa maailmankaikkeutta. Pitkään koko maapallo oli sulassa tilassa, ja vähitellen kiteytyivät ne mineraalit ja alkuaineet, joista muun muassa Suomea kattava vankka kallioperä koostuu.

Suomen kallioperän vanhimpien osien iäksi on arvioitu noin 3,1 miljardia vuotta. Tähän verrattuna maankamaran toinen osa, irtaimesta aineksesta koostuva maaperä, on maassamme huomattavasti nuorempi – yleensä alle 12 000 vuotta vanha. Maiseman muotojen lisäksi vaikuttavat kallio- ja maaperä sekä niistä vapautuvat mineraalit usein siihen, millaista kasvillisuutta tietyllä seudulla viihtyy.

Maamme kallioperän kehittymiseen on merkittävimmin vaikuttanut kaksi vanhaa vuorenpoimutusjaksoa. Ensimmäinen niistä oli noin 2,8–2,7 miljardia vuotta sitten, jolloin syntyivät Itä-Suomen, Peräpohjolan ja Lapin pohjoisosien gneissit, migmatiitit ja vihreäkivet. Toinen poimutus tapahtui noin 1,9–1,8 miljardia vuotta sitten. Silloin muodostuivat muun muassa Etelä- ja Länsi-Suomen, Pohjois-Karjalan ja Lapin liuskeet, gneissit ja kvartsiitit. Kovia kvartsiittikallioita ovat esimerkiksi Koli, Ruka, Vuokatti ja tietyt Pohjois-Lapin tunturit kuten Ylläs- ja Ounastunturit. Ne ovat kestäneet hyvin kulutusta ja jääneet siksi ympäristöään korkeammiksi.

Myöhemmin syntyneitä kallioperän osia ovat muun muassa noin 1,6 miljardin vuoden ikäiset rapakivigraniitit Suomen kaakkois- ja lounaisosassa sekä Ahvenanmaalla. Nuorimpia kallioperämme alueita ovat esimerkiksi Käsivarren luoteisosan alle puoli miljardia vuotta sitten syntyneet Köli-vuoriston osat sekä Iivaaran ja Soklin alkalikivet Pohjois-Suomessa, itärajan tuntumassa.

Eri aikakausina syntyneiden kallioperän osien välillä ei ole tarkkaa rajaa, vaan vanhempia osia on usein sekoittunut nuorempiin niiden syntyessä. Lisäksi aikojen kuluessa erilaiset siirrokset ja murrokset ovat muokanneet kallioperää tehden siitä monenkirjavan mosaiikin.

History of the Finnish landscape

The present appearance of a certain landscape is often the outcome of a very long, complex chain of events, so that it is perhaps best to begin by going way back in time in order to understand the background to our various landscapes and natural formations.

The earth was formed of slowly congealing cosmic matter some 4,600 million years ago, a minuscule part of the inconceivably vast solar system and universe. The oldest parts of the bedrock of Finland are estimated to date back about 3,100 million years, whereas the loose deposits overlying it are extremely young, mostly no more than 12,000 years old. The composition of the bedrock and loose deposits and the minerals released from these influence not only the forms of the landscape but also the nature of the vegetation in each area.

The most significant events for the Finnish bedrock were two ancient periods of orogenic folding, the first around 2,800–2,700 million years ago, giving rise to the gneisses, migmatites and greenstones of Eastern Finland, Peräpohjola and northern Lapland, and the second around 1,900–1,800 million years ago, when the schists, gneisses and quartzites of Southern and Western Finland, Northern Karelia and Lapland were formed. The hills of Koli, Ruka and Vuokatti in the east of the country and certain of the higher fells in Lapland such as Yllästunturi and Ounastunturi consist of hard quartzite rock which has resisted weathering, so that these points stand out from their surroundings nowadays.

Areas of bedrock of later origin include the *rapakivi* granites, aged around 1,600 million years, in the south-eastern and south-western parts of the country, including Åland, and the rocks of the extreme north-western arm, which form part of the Kölen Mountains of Scandinavia, together with the hill of Iivaara and the alkaline rocks of Sokli close to the Russian border in the Northern Finland, all dating back about 500 million years.

There are no distinct boundaries between the bedrock areas of different ages, but rather the older parts were mixed in with the younger ones as these were formed. Various fractures and faults have also appeared in the bedrock in the course of time, shaping it into a highly complex mosaic.

One surprising feature in the history of the bedrock of Finland and the whole of Fennoscandia is the pronounced north-south movement of the whole tectonic plate. When the first orogeny

Kuu ja Jupiter kohtaavat Konttaisen vaaran yllä. Kuusamo, tammikuu.
The moon meets Jupiter over the hill of Konttainen, Kuusamo, in January.

Yllättävää Suomen ja koko Fennoskandian kallioperän kehityksessä on ollut alueen kalliokilven suuri pohjois-etelä-suuntainen vaellus, joka on pystytty toteamaan nykyaikaisin mittauksin ja laskelmin. Ensimmäisen poimutusvaiheen aikana Fennoskandian kilpi oli samalla leveysasteella kuin nykyisin, mutta toisen poimutuksen aikana ja sen jälkeen se siirtyi päiväntasaajan tienoille. Kävipä alueemme noin miljardi vuotta sitten Kauriin kääntöpiirillä ja tämän jälkeen jopa eteläisellä napapiirillä ennen kuin vaelsi hitaasti takaisin nykyisille sijoilleen. Tämä kalliolaatan hidas liike johtuu maan kuoren alla olevan sulan kiviaineksen virtauksista. Liike jatkuu edelleen ja sen suunta on itäkoilliseen noin kaksi senttimetriä vuodessa.

Viimeksi kuluneen puolen miljardin vuoden aikana Suomen peruskallio ei juuri ole muuttunut rakenteeltaan tai koostumukseltaan, vaan rapautuminen, eroosio ja monet mannerjäätiköt ovat kuluttaneet sen pintaa. Muinaisissa poimutuksissa syntyneistä, kilometrien korkuisista vuoristoista on jäljellä vain juuret. Suomen keskikorkeus onkin vain noin 150 metriä merenpinnasta, kun mantereiden keskikorkeus koko maapallolla on noin 850 metriä.

KUN JÄÄ PEITTI MAAN

On arvioitu, että viimeisin jääkausiaika alkoi maapallolla jo noin kaksi miljoonaa vuotta sitten. Sen aikana useat pitkät jäätiköitymisvaiheet ja lyhyemmät lauhat jaksot seurasivat toisiaan ja nopeuttivat kallioperän kulumista. Lopulliset muodot Suomen maankamaralle antoi kuitenkin viimeisin jäätiköityminen eli niin sanottu Veiksel-jääkausi.

Tämä kausi alkoi noin 115 000 vuotta sitten, kun maapallon ilmasto kylmeni jälleen huomattavasti ja jäätikkö alkoi laajentua Skandien vuoristosta Pohjois-Ruotsista. Veiksel-jääkausi päättyi Suomessa noin 10 000 vuotta sitten, ja sen kylmimmän vaiheen arvellaan olleen 20 000 vuotta sitten, jolloin vuoden keskilämpötila oli noin 8 astetta nykyistä alhaisempi. Tällöin jää, jonka paksuus oli parhaimmillaan jopa kolme kilometriä, peitti alleen Suomen ja koko Pohjois-Euroopan aina Brittein saarilta Moskovan liepeille.

Jäätikön eteläpuolella oli puutonta tundraa, jonne esimerkiksi mammutit, peurat ja todennäköisesti myös varhaiset ihmiset pyrkivät vetäytymään jään reunan tieltä. Ilmaston kylmyyden takia laajempia metsiä oli vasta Välimeren tienoilla.

Jäätiköitymisen aikana oli myös pitkähköjä lämpimiä jaksoja, jolloin Suomessakin on ollut ainakin osittain jäättömiä alueita. Tätä tukee se, että Suomen maaperästä on löydetty lukuisia täällä eläneiden mammuttien jäänteitä, joista vanhimmat ovat noin 32 000 vuoden ja nuorimmat noin 22 000 vuoden ikäisiä.

Massiivinen jääpeite liikkui jäätymis- ja sulamisvaiheiden aikana hitaasti – korkeintaan muutamia satoja metrejä vuodessa – ja kuljetti mukanaan irtonaista kiviainesta. Syntyi kuin jättiläismäinen "hiekkapaperi", joka pyöristi maaston muotoja ja

took place the Fennoscandian Shield was located at approximately the same latitudes as nowadays, but during the second event and for some time afterwards it was located close to the equator. About 1,000 million years ago it lay close to the Tropic of Capricorn, and later it even reached the Antarctic Circle before slowly making its way back to its present position. This movement was caused by flows within the molten rock beneath the earth's crust, and it is still going on, so that Finland is even now drifting east-northeast at a rate of about 2 centimetres a year.

The Finnish bedrock has scarcely altered in structure or composition over the last 500 million years, but its surface has been levelled by weathering, erosion and the action of numerous continental ice sheets, so that only the roots of the ancient fold mountains have remained. Thus the mean altitude of the land area of Finland nowadays is only about 150 metres above sea level, whereas the corresponding figure for all the continents of the world is close to 850 metres.

WHEN ICE LAY OVER ALL THE LAND

The last Ice Age, which is estimated to have begun around 2 million years ago, has involved a number of long glaciations interspersed with shorter mild periods, which have had the combined effect of accelerating the erosion of the bedrock. The earth's crust in the area of Finland gained its present form during the last, or Weichselian Glaciation, which began some 115,000 BP (before present) with a pronounced cooling of the earth's climate and an extension of the glaciers from the Kölen Mountains in northern Sweden to cover eventually the whole of Northern Europe from the British Isles to the environs of Moscow, and came to an end in Finland around 10,000 BP. It is thought to have reached its coldest around 20,000 BP, when mean annual temperatures were about 8° C lower than at present and the ice sheet was as much as 3 kilometres thick in some places.

To the south of the ice sheet was a belt of treeless tundra to which the mammoths, deer and probably early human beings had retreated from the advancing ice, and the nearest forests must have existed only around the Mediterranean Sea. The glaciation must also have been interrupted by some fairly long milder periods during which there could have been ice-free areas even in Finland. Thus numerous relics of mammoths have been found in this country, the oldest from about 32,000 BP and the youngest about 22,000 BP.

The massive body of ice moved slowly throughout both the glacial and deglaciation periods, at a rate of no more than a few hundred metres a year, carrying loose rocks and stones with it, and thus acted like a gigantic piece of sandpaper, rounding off the features of the terrain and polishing the bedrock surfaces. It is estimated that this erosion reduced the thickness of the earth's crust in Finland by 7–25 metres, so that loose deposits from pre-glacial times have survived only in very exceptional cases.

Kylmät kaudet koettelevat Suomen luontoa aika ajoin. Salla, Ruuhitunturi, maaliskuu.
Nature in Finland has to contend with severe temperatures at times. The fell of Ruuhitunturi, Salla, in March.

Ankarinkin talvi on vain pieni muistutus ajasta, jolloin Suomea peitti
jopa kolme kilometriä paksu mannerjää. Helsinki, Lauttasaari, joulukuu, –30 °C.
*Even the coldest winter is only a small reminder of the times when Finland was covered by
an ice sheet up to three kilometres thick. Lauttasaari, Helsinki, at –30° C in December.* ▶

Seoskivilajien juonteita mannerjään silottamassa peruskalliossa. Dragsfjärd, Vänö.
Migmatite veins in a bedrock surface polished by the ice of the last glaciation, at Vänö, Dragsfjärd.

silotti kallioita. Suomen maankamaran arvioidaan madaltuneen jäätikön kulutuksessa noin 7–25 metriä, ja jääkautta edeltäneitä maaperän kerrostumia on säilynyt maassamme vain poikkeustapauksissa.

JÄÄN SULAESSA JA VETÄYTYESSÄ PALJASTUVAT JÄÄKAUDEN MUODOSTUMAT

Jääkauden kylmimmän vaiheen jälkeen ilmasto lämpeni selvästi ja mannerjää alkoi hitaasti sulaa. Vetäytyvä jään reuna saavutti Suomen etelärannikon noin 12 000 vuotta sitten, mutta Suomi vapautui jääpeitteestä kokonaan vasta noin 9 000 vuotta sitten, kun viimeiset jäätikön osat sulivat Länsi-Lapista, Torniojoen laaksosta.

Jään sulaessa ei reunan alta paljastunut aluksi paljoakaan maata, vaan suuri osa nykyisen Suomen alueesta jäi veden peittämäksi sitä mukaa kuin jää väistyi. Vähitellen paljastunut maisema oli karu ja eloton mutta omalla tavallaan kiinnostava. Peruskallion pinta oli hioutunut sileäksi, mikä korosti seoskivilajien juonteita ja teki kallion pinnasta elävän. Jäätikön vetäytymisen aiheuttamat uurteet ja suuremmatkin kulutusjäljet suuntautuivat kohti Ruotsin tunturialueella sijainnutta jäätikön keskipistettä.

Jääpeitteen alle jääneistä irtonaisista kivennäismaalajeista syntyi kovassa puristuksessa moreenia, joka on monin paikoin hyvin tiivis. Lähes yhtenäinen, erilaisia raekokoja sisältävä moreenipatja peittää peruskalliota miltei kaikkialla Suomessa. Moreeni onkin maamme yleisin maalaji, vaikka erilaiset jäätikön sulamisvesien synnyttämät nuoremmat kerrostumat tai eloperäiset maalajit peittävät sen usein.

Jään sulaminen aiheutti vesivirtoja sekä jään päälle että sen alle. Jään liike, sulamisvedet ja niiden mukana kulkeutunut irtonainen kiviaines ja jäälohkareet synnyttivät monia maisememme nykyisin havaittavia muodostumia ja maamerkkejä kuten harjuja, siirtolohkareita, suppakuoppia, hiidenkirnuja tai vaikkapa drumliineja, jotka ovat pitkänomaisia jään liikkeen suuntaisia moreeniselänteitä.

Sulamisvaiheen aikana, noin 11 000 vuotta sitten, oli myös pitkähkö kylmä jakso, jolloin jään reunan eteneminen pysähtyi useita kertoja. Vesivirrat kokosivat soraa ja hiekkaa reunamuodostumiksi jään reunan eteen, ja silloin syntyivät muun muassa kymmeniä metrejä korkeat Salpausselät. Ensimmäinen ja toinen Salpausselkä kulkevat lähellä toisiaan Hankoniemeltä Joensuun seudulle ja kolmas etenee Kemiöstä Kuhmoisiin epäyhtenäisempänä selänteenä.

Salpausselät jatkuvat myös pitkälle ulkosaaristoon ja kohoavat paikoitellen näkyviin ainutlaatuisina saarina. Komein niistä on seitsemän kilometrin pituinen Jurmo, jonka rannat ja niemet ovat lähes kauttaaltaan jääkauden aikaisten pyöristyneiden kivien verhoamat.

Following the coldest stage of the Ice Age the climate became markedly warmer and the ice sheet gradually began to melt. Its retreating edge reached the present south coast of Finland around 12,000 BP, and the country was totally free of ice by 9,000 BP, when the last vestiges had melted from the Tornio Valley in western Lapland.

Very little land was exposed by the ice at first, however, as the majority of the country was covered by water. The landscapes that gradually emerged were barren and lifeless, but interesting in their own way. The bedrock had been reduced to a smooth surface, which emphasized the presence of veins and dykes and gave it a more lively appearance. The grooves and larger scars caused by the glacial retreat pointed towards the centre of the ice sheet, in the mountains of Sweden.

The loose mineral soils that remained under the ice were crushed to an often highly compacted till, and almost the whole country was covered by a practically continuous bed of till of varying grain sizes. Even today till is the most common soil type in Finland, in spite of the younger deposits created by the meltwater from the ice sheet and the organic soils that have developed later.

Deglaciation gave rise to flowing water both on top of the ice and beneath it, and this meltwater and the stones, pebbles and ice boulders transported by it combined with the movement of the ice itself to give rise to many of the formations and landmarks that we can see in the terrain today, such as eskers, erratic boulders, kettle holes, potholes or drumlins.

There was also a colder period during the deglaciation, about 11,000 BP, when the retreat of the ice was arrested on a number of occasions. This caused the meltwater streams to deposit gravel and sand at the ice margin to create ridges several tens of metres high such as the Salpausselkä ice margin formations, the first and second of which run side by side from the Hanko Peninsula to the environs of Joensuu and the third in a less continuous manner from the island of Kemiö to Kuhmoinen. These formations also continue out to sea, reaching the surface in places to form unique chains of islands, the finest being the 7 kilometres long island of Jurmo, with its beaches and headlands lined with rounded stones of glacial origin.

THE LAND BEGINS TO RISE

Even while the ice was still melting the slow but persistent process of land uplift was beginning. The vast mass of ice had pressed the earth's crust down several hundred metres – perhaps as much as a kilometre in the Bothnian Bay. Then, as the load of ice diminished, the bedrock gradually began to regain its original form.

Jurmon saari ulkosaaristossa on mannerjään sulamisvesien muovaama.
The remote island of Jurmo, shaped by meltwater from the last glaciation. ▶

Maa kohoaa

Jo jään sulamisen aikana Suomessa alkoi hidas mutta pitkäaikainen maan kohoaminen. Jään valtava massa oli painanut maan kuorta alaspäin jopa satoja metrejä – Perämeren alueella ehkä jopa kilometrin. Kun jään aiheuttama kuormitus väheni, kallioperä alkoi hitaasti palautua alkuperäiseen muotoonsa.

Maan kohoaminen on ollut merkittävin jääkauden jälkeinen Suomen maisemiin vaikuttanut geologinen tekijä. Uusien maa-alueiden syntymisen lisäksi se on aikojen kuluessa muuttanut vesistöjen laskujokien virtaussuuntia ja synnyttänyt uusia uomia. Maan nousu jatkuu edelleen ja sen nopeus on muutamia millimetrejä vuodessa, Perämeren seudulla jopa 8 millimetriä. Määrä vaikuttaa vähäiseltä, mutta rantaviivan pituuden ja rannan loivuuden takia uutta maata nousee koko Suomessa esiin noin 700 hehtaaria vuodessa eli miltei 2 hehtaaria joka päivä.

Ensimmäiset kasvit saapuvat

Sitä mukaa kuin jää vetäytyi, veden pinta laski ja maata paljastui, vaelsivat myös kasvit ja eläimet vähitellen Suomen viileisiin oloihin. Ensimmäiset jään reunan liepeille ilmaantuneet kasvit olivat siitepölytutkimusten mukaan pääasiassa matalia varpumaisia tunturikasveja ja ruohovartisia heiniä eli lajeja, jotka nykyisinkin menestyvät vaativimmissa oloissa avoimilla tunturipaljakoilla. Kun uutta elintilaa vapautui, kasvit levisivät vähitellen ja lisää lajeja ilmaantui tuulen ja eläinten kuljettaessa niiden siemeniä uusille kasvupaikoille.

Valtaosa kasveista saapui idästä ja kaakosta, koska lännessä ja etelässä niiden leviämistä esti nykyistä Itämerta laajempi vesialue. Poikkeuksia olivat esimerkiksi eräät pajut, joiden siemenet olivat kyllin keveitä lentämään tuulen mukana jopa meren yli. Lisäksi joitakin vesikasveja, kuten vesipähkinä, levisi Suomeen veden kuljettamien siemenien avulla.

Puista ilmaantui koivu Suomeen ensimmäisenä, noin 10 000 vuotta sitten. Ensimmäiset yksilöt olivat kylmään sopeutuneita hieskoivuja, jotka muistuttivat ulkonäöltään todennäköisesti nykyisiä tunturikoivuja. Myös rauduskoivuja ilmaantui pian, ja koivut levisivät noin tuhannessa vuodessa Pohjois-Suomeen asti. Näihin aikoihin Suomeen juurtuivat myös ensimmäiset haavat, jalavat ja pähkinäpensaat.

Havupuista alkoi mänty levitä Suomeen vain hiukan koivujen jälkeen, yli 9 000 vuotta sitten. Se syrjäytti varsin nopeasti koivujen asemaa, koska ilmasto muuttui vähitellen mantereisemmaksi eli talvet olivat pitkiä ja kylmiä mutta kesät suhteellisen lämpimiä. Männystä tuli monin paikoin vallitseva puulaji aina Lappia myöten.

Land uplift has been the most significant geological factor shaping the landscapes of Finland, having caused the emergence of new land areas, altered the directions of flow of waterways and opened up new outlet channels, and it is still going on today, at a rate of as much as 8 millimetres a year on the Bothnian Bay coast. This may not seem much, but the length of the coastline and the gentle gradient of the shores mean that Finland gains about 700 hectares of new land every year, almost 2 hectares a day.

The first plants arrive

As the ice retreated, the water level dropped and more land emerged, plants and animals gradually began to establish themselves in the cool conditions of Finland. Pollen analyses tell us that the first plants to appear were mostly low-growing species such as those that thrive under demanding conditions on the open mountain tops in Lapland today. As more living space became available, they gradually spread and new species arrived, their seeds being blown there by the wind or transported by animals.

The majority of the plants came from the east and south-east, because the huge water area in the south and west, considerably larger than the modern Baltic Sea, prevented them from spreading from those directions. The main exceptions to this were certain willows and some aquatic plants, the seeds of which were sufficiently light to be carried by the wind even over such a sea.

The first of the trees to appear in Finland was the birch, the original individuals being of the downy birch species, which is better adapted to cold conditions, and probably resembling the present-day mountain birches in appearance. Later the silver birch appeared and the two species together spread as far as northern Finland within about a thousand years. It was also around that time that the first aspens, elms and hazel bushes appeared in this country.

Of the coniferous trees, pine reached Finland very shortly after birch, before 9,000 BP, and quickly usurped the latter, as the climate was gradually becoming more continental at that time, with long, cold winters but relatively warm summers. Pine became the dominant tree species in many places as far north as Lapland.

Gradually many other familiar trees appeared in Finland, and also the more slowly invading "noble" deciduous trees such as oak and lime, although the latter, together with spruce, reached their peak distribution only later.

Origins of the lakes and waterway systems

The Ice Age influenced the development of the lakes and waterways of Finland and the surrounding landscapes in many ways.

Karuun maahan juurtuivat ensimmäisinä matalat tunturikasvit.
Riekonmarja ja variksenmarja ruska-aikaan Enontekiöllä.
The first plants to invade the barren soils were the low-growing alpine species.
The autumn colours of the alpine bearberry and crowberry at Enontekiö.

Koivut olivat ensimmäisiä jääkauden jälkeisiä puulajeja, ja ne alkoivat yleistyä lähes 10 000 vuotta sitten. Korpilahti, kesäkuu.

The birches were the first trees to spread to Finland after the glaciation, around 10 000 years ago. Korpilahti in June.

Vähitellen Suomeen saapuivat myös monet muut tutut puulajit sekä hitaammin levinneet jalot lehtipuut, kuten tammi ja lehmus. Jalojen lehtipuiden ja varsinkin kuusen kukoistuskaudet koittivat kuitenkin vasta myöhemmin.

Järvien ja vesistöjen syntyvaiheita

Jääkausi vaikutti monin tavoin myös Suomen järvien ja vesistöjen kehitykseen ja niiden rantojen maisemiin. Useimmat järvialtaat täyttyivät vedellä sitä mukaa kuin ne paljastuivat jään alta, sillä nykyinen Itämeri peitti monivaiheisen syntyhistoriansa laajimmassa vaiheessa parhaimmillaan yli puolet Suomesta. Maan kohoamisen ja veden pinnan laskun seurauksena sisämaan vesistöt kuroutuivat kuitenkin vähitellen erilleen merestä. Salpausselät ja muut vedenjakajat olivat kuin jättimäisiä patoja, jotka erottivat nykyisen Järvi-Suomen seudun omaksi laajaksi vesialueeksi. Esimerkiksi Saimaa ja Päijänne muodostivat suuren yhtenäisen vesistön, joka laski aluksi Perämeren suuntaan.

Maan edelleen kohotessa ja kallistuessa vedenpinta nousi eteläisessä Suomessa. Salpausselkiin kohdistunut veden paine kasvoi ja mursi niihin aukkoja. Nykyinen Kymijoki läpäisi Salpausselkien linjan noin 6 000 vuotta sitten ja Vuoksi noin 5 000 vuotta sitten. Veden pinta laski molemmissa tapauksissa huomattavasti, vesistöjen rantaviivat siirtyivät ja uusia saaria nousi esiin. Myös esimerkiksi Tampereen Tammerkoski oli syntynyt vastaavalla tavalla jo aiemmin, läpäistessään Pyynikinharjun noin 6 700 vuotta sitten.

Järvi-Suomen maisemille ominainen maan ja veden rytmikäs vaihtelu on sekin paljolti mannerjään aiheuttamaa. Jo jään liikkeet puhdistivat erityisesti luoteesta kaakkoon suuntautuneita, kallioperän ikivanhoja murrosvyöhykkeiden ruhjelaaksoja. Monet näistä laaksojen reunoista kohoavat nykyisten järvien jyrkkinä kalliorantoina. Lisäksi jään ja sulamisvesien liikkeen mukaisesti suuntautuneet harjut ja drumliinit ovat yleensä samansuuntaisia kuin kallioperän murroslaaksot. Yhdessä nämä maankamaran muodot korostavat Järvi-Suomen pitkänomaisten ja samansuuntaisten vesistöjen ilmettä.

Suot alkavat kehittyä

Suomen vanhimmat suot ovat noin 10 000 vuotta vanhoja. Ne alkoivat kehittyä Itä-Suomen sellaisilla alueilla, missä maata vapautui jääpeitteestä mutta joihin silloinen Itämeri ei kuitenkaan yltänyt. Muualtakin Suomesta on löydetty soita, joiden vanhimmat osat ovat yli 9 000 vuoden ikäisiä.

Maa alkoi soistua ensin vetisissä notkelmissa ja muissa veden vaivaamissa paikoissa. Tehokkaasti vettä pidättävät rahkasammalet ja muut suokasvit muodostivat peitteen, joka saattoi alla olevan karikkeen hapettomaan tilaan, ja hajoamisen hidastuessa metsämaahan alkoi muodostua turvetta.

Soita syntyi myös lampien ja järvien kasvaessa umpeen. Niiden pohjalle kertyi vähitellen eloperäistä liejua, joka kasvatti tulevaa suota hiljalleen alhaalta päin. Sammalet ja muut suokasvit kuroi-

Most of the lake basins filled with water as soon as they became free of ice, as what is nowadays the Baltic Sea covered at its maximum extent well over half of the country, and the present-day inland waterways gradually began to be isolated from the Baltic as a result of land uplift and the general decline in sea level. The Salpausselkä marginal formations and other watersheds acted for a time as gigantic dams that restrained the waters of the present-day Lake District, so that the modern Saimaa and Päijänne waterway systems, for instance, formed a single huge basin that discharged its waters into the Bothnian Bay at first.

As the land continued to rise and tilt, the water level began to rise in Southern Finland, causing the pressure against the Salpausselkä ridges to increase until breaches appeared in them. The present-day River Kymijoki broke through this line about 6,000 BP, and the channel of the River Vuoksi was opened up about 5,000 BP. In both cases this resulted in a considerable drop in water level, causing the shores of the lakes to retreat and new islands to be created. Many significant stretches of rapids were formed in this way, including Tammerkoski at Tampere, where the water had broken through the Pyynikki esker somewhat earlier, around 6,700 BP.

The rhythmic alternation between land and water that is so typical of the Lake District may again be attributed to the ice sheet. The ice movements in their time had gouged out valleys in the bedrock fracture zones, predominantly running in a NW–SE direction, and the edges of many of these are still to be seen in the form of steep cliffs rising up out of the lakes. Likewise the eskers and drumlins follow the direction of ice movement, and together these landforms serve to accentuate the strip-like, parallel patterning of the waterways of the Lake District.

The mires begin to develop

The oldest mires in Finland date back to about 10,000 BP, having begun to develop in areas in the east of the country which lay above the post-glacial water level of the Baltic basin, although mires have also been found elsewhere in Finland in which the oldest parts have existed for over 9,000 years.

Paludification, or the formation of mires, began in damp gullies and other waterlogged spots, where a cover of water-retaining Sphagnum mosses and other mire plants developed, with the result that anaerobic conditions prevailed in the underlying litter, slowing down its decomposition and leading to the growth of peat.

Other mires developed as lakes and pools became filled in with vegetation. The process usually began with the formation of an organic mud, known as gyttja, on the bottom, causing the mire to grow gradually in an upward direction, until finally the surface of the water was invaded by mosses and other mire plants.

Vast areas of peatland have developed in the cool, moist climate of Northern Finland in the course of several thousand years, and the paludification process is still active today, so that

Karpalon kukkia ja kihokkeja soistuvan lammen rannalla. Korpilahti, Vaarunvuori, kesäkuu.
Cranberry flowers and sundews on the shore of a mire pool at Vaarunvuori, Korpilahti, in June.

Noin 3 000 vuotta kestänyt lämpökausi oli jalojen lehtipuumetsien kulta-aikaa Suomessa.
Nykyiset tammistot ovat vain pieni muisto näistä ajoista. Parainen, Lenholm.
The "noble" deciduous trees were in their prime during the 3,000 years of the Climatic Optimum,
and the present-day oak forests are only a pale reflection of those times. Lenholm, Pargas.

vat puolestaan umpeen vesistön pintaa, ja kasvien jäänteet jäivät vuosittain syntyneiden uusien kasvustojen alle ja muuttuivat ajan mittaan turpeeksi.

Tuhansien vuosien aikana on etenkin Pohjois-Suomeen muodostunut viileässä ja kosteassa ilmastossa huomattavia suoalueita. Soistuminen on edelleen jatkuva prosessi, ja Suomen vanhimpien soiden turvekerrostumat ovat kasvaneet jopa yli kymmenen metriä paksuiksi.

RANNIKON VILJAVAT SAVIKOT NOUSEVAT MERESTÄ

Jään sulamisvaiheessa, ja vielä tuhansia vuosia sen jälkeen, peitti Itämeren silloinen laaja vesialue Suomen alavaa rannikkoseutua. Sulamisvesien kuljettama hienoin maa-aines kulkeutui veden mukana jäätikön edustalla avautuneelle merelle ja laskeutui hitaasti sen pohjalle savikerrostumiksi. Itämeren eri kehitysvaiheiden aikana ainesta kertyi meren pohjaan huomattavia määriä, ja myöhemmin maan kohotessa merenpinnan yläpuolelle siitä muodostui rannikolle laajoja savikoita.

Etelä-Suomen ja Pohjanmaan viljavat savikot olivat otollista maaperää lehtokasvillisuudelle, jaloille lehtipuille sekä maanviljelykulttuurin kehittymiselle. Niiden pinta-ala on nykyisin noin kahdeksan prosenttia Suomen maapinta-alasta, ja savikerrostumat ovat usein kymmeniä metrejä paksuja, paikoin jopa yli 70-metrisiä.

LEHDOT KUKOISTAVAT LÄMPÖKAUDELLA

Noin 8 000 vuotta sitten maapallon ilmasto lämpeni vähitellen. Alkoi noin 3 000 vuotta kestänyt lämpökausi, jolloin keskilämpötilan on arvioitu olleen Suomessa kaksi astetta nykyistä korkeampi. Suomessa vallitsi tuolloin hyvin samantyyppinen ilmasto kuin Keski-Euroopassa on nykyisin.

Lämpökaudella jalot lehtipuut kuten jalava, lehmus, tammi sekä pähkinäpensas lisääntyivät Suomessa merkittävästi. Aika oli lehtojen kukoistuskautta, ja monet jalopuut sekä pähkinäpensas viihtyivät silloin huomattavasti pohjoisempana kuin nykyisin. Suomessa kasvoi tuolloin myös lajeja, joita ei nykyisin enää tavata kuten vesipähkinä.

ILMASTO VIILENEE JA KUUSI LEVIÄÄ SUOMEEN

Vasta noin 5 500 vuotta sitten alkoi uusi puulaji kuusi levitä Suomeen idästä. Kuusen leviämistä vauhditti ilmaston viileneminen pitkän lämpimän kauden jälkeen. Ilmaston muuttumisen takia mäntymetsien ja etenkin jalojen lehtipuiden levinneisyysalueet siirtyivät vähitellen etelämmäksi.

Kuusi levisi verraten hitaasti, ja noin 2 000 vuotta sitten se oli saavuttanut lähes nykyisen esiintymisalueensa Ahvenanmaata ja Lappia myöten. Kuusi horjutti jalopuiden asemaa ja valtasi elintilaa myös männyltä ja koivulta. Siitä tuli korpien valtapuu, mutta kuivilla kankailla männyn asemaa turvasivat noin sadan

the oldest mires have now accumulated peat deposits over 10 metres thick in places.

FERTILE PLAINS EMERGE FROM THE SEA

The low-lying terrain on the coast of Finland continued to be covered by the waters of the Baltic for several thousand years after deglaciation, during which time the meltwater streams carried fine material into this basin, where it was gradually precipitated on the sea bed to form clay deposits. Vast quantities of this material accumulated in the course of time, and later, as these deposits were brought to the surface by land uplift, the coastal strip became occupied by broad plains with a fertile clay soil.

These soils of Southern Finland and Ostrobothnia were propitious for the growth of fresh herb-rich forests, the survival of the "noble" deciduous trees and eventually the development of agriculture. The plains now account for about 8 percent of the present land area of Finland and possess clay deposits of up to 70 metres in places.

HERB-RICH FORESTS OF THE CLIMATIC OPTIMUM

Around 8,000 BP the world's climate began to warm up, leading to a period of some 3,000 years known by scientists as the Climatic Optimum, during which mean temperatures in Finland were a couple of degrees higher than at present and the climate similar to that of Central Europe nowadays. This was the age of the fresh herb-rich forests, when deciduous trees such as elm, lime, oak and hazel thrived much further north than at present. There were also some plant species growing here that are no longer found at all, such as the water chestnut.

COOLING OF THE CLIMATE BRINGS SPRUCE TO FINLAND

About 5,500 BP a new tree species migrated to Finland from the east, the spruce. Its advance was aided by a cooling of the climate, marking the end of the climatic optimum and causing the pine forests and "noble" deciduous trees to shift further south. The spread of spruce took place relatively slowly, in fact, so that it was only around 2,000 BP that it achieved its present distribution, extending from the Åland Islands well into Lapland. Apart from displacing the more demanding deciduous species, it also gained ground at the expense of pine and birch, becoming the dominant species of the damper mixed forests, although pine retained its dominance of the dry heath forests by dint of the forest fires that affected them at an average interval of a hundred years or so, as its thick bark makes it more resistant to fire than spruce.

EARLY HUMAN SETTLEMENT

Recent archaeological finds suggest that there was some human settlement in Finland prior to the Ice Age, before 120,000 BP, vuoden välein roihunneet metsäpalot. Paksukaarnainen mänty kestää nimittäin kuloja paljon kuusta paremmin.

SUOMEN VARHAISEN ASUTUKSEN VAIHEITA

Viimeaikaisten arkeologisten löytöjen perusteella on saatu näyttöjä, että ihmisiä olisi elänyt nykyisen Suomen alueella jo ennen jääkautta, yli 120 000 vuotta sitten. Kristiinankaupungin Karijoen Susiluolasta on löydetty merkkejä tällaisista varhaisista asukkaista, jotka olivat todennäköisesti neandertalinihmisiä. Kyseinen luola on toistaiseksi ainoa paikka maapallolla, josta on löydetty jälkiä ihmiselämästä alueella, missä myöhemmin on vallinnut jääkausi.

Ensimmäiset jääkauden jälkeiset ihmiset saapuivat Suomen alueelle miltei heti, kun maata alkoi vapautua jään ja veden alta. Tätä tukee myös hiljattain tehty löytö hyvin varhaisesta asutuksesta Porvoonjoen yläjuoksulta, Orimattilan Myllykoskelta noin 10 700 vuoden takaa.

Ensimmäiset tulijat asuttivat maata etelästä ja kaakosta alkaen ja elivät yleensä meren tai vesireittien äärellä metsästyksellä, kalastuksella ja luonnon antimien keräilyllä. He olivat vaeltaneet uusille alueille todennäköisesti riistan perässä, koska eläimetkin lienevät etsineet uusilta mailta lisää elintilaa. Ihmiset elivät liikkuvissa pyyntiyhteisöissä, joiden tärkeitä saaliseläimiä olivat hirvet, peurat, hylkeet ja majavat.

Harvaa asutusta oli ehtinyt levitä koko maahan Lappia myöten jo noin 8 000 vuotta sitten. Tosin laaja osa nykyistä rannikkoaluetta ja Pohjanmaata oli tuolloin vielä veden vallassa. On todennäköistä, että Lapin pohjoisosia on asutettu myös Norjan suunnasta, koska pohjoissaamelaisten on todettu eroavan geneettisesti suomalaisista.

Kivikaudella ihmiset elivät sopusoinnussa luonnon kanssa eivätkä juuri vaikuttaneet maisemiin. Työkalut ja aseet olivat liuskeista, luista ja kivistä valmistettuja kirveitä, keihäänkärkiä ja pallonuijia. Saviastiatkin olivat vielä pitkään tuntemattomia – elettiin niin sanottua esikeraamista aikaa. Astioita ryhdyttiin valmistamaan Suomessa noin 6 000 vuotta sitten.

Kivikaudella yleinen asuinsija oli kota etenkin kesäaikaan. Sen puinen kehikko verhottiin todennäköisesti peuran- ja hirventaljoilla. Merkkejä ensimmäisistä hirsirakennuksista on löydetty yli neljän tuhannen vuoden takaa.

Arkeologisten kaivausten ja esinelöytöjen lisäksi on varhaisten ihmisten elintapoja, rituaaleja ja uskomuksia voitu yrittää tulkita kalliomaalauksista. Niitä on löydetty Suomesta tähän mennessä yli sata ja ne ovat todennäköisesti 7 000–1 500 vuotta vanhoja. Maalaukset on yleensä tehty jylhiin kallioseinämiin vesistöjen äärelle.

as traces of early inhabitants, probably representing Neanderthal Man, have been found in the cave of Susiluola at Karijoki near the town of Kristinestad. This appears to be the only place in the world, according to current speculations, where signs of human habitation have been discovered in a place later affected by a glaciation.

The first post-glacial human settlers must have come to Finland more or less as soon as the land emerged from under the ice, a conclusion supported by the discovery of a very early dwelling site, dated to around 10,700 BP, at Myllykoski in Orimattila, in the headwaters of the River Porvoonjoki. Thus the first inhabitants settled in the south and south-east, usually on the coast or beside waterways, and lived by hunting, fishing and gathering natural produce. They must have come originally in search of game, chiefly elk, deer, seals and beavers, and presumably lived in nomadic hunting communities.

By 8,000 BP a sparse pattern of settlement had spread over the whole country as far north as Lapland, although a substantial part of the present coastal area and Ostrobothnia was still beneath the sea, of course. It is also probable that northern Lapland was settled by migrants from Norway, as the northern Saame have been shown to differ genetically from the Finns.

The Stone Age dwellers lived in harmony with nature and will scarcely have had any impact on the landscape. Their tools and weapons were axes, spearheads and clubs fashioned from slivers of schistose rock, bones or stones. Clay pots remained unknown for a long time, their production having begun in Finland around 6,000 BP. The most common form of Stone Age house, particularly for summer use, was the *kota*, a teepee-like tent consisting of deer or elk hides draped over a wooden frame. The first evidence of log buildings is from before 4,000 BP.

Apart from artefacts in archaeological excavations and elsewhere, information on the customs, rituals and beliefs of these early inhabitants can be obtained from rock paintings, more than a hundred of which have been discovered in Finland so far, probably dating back 7,000–1,500 years and executed on steep rock faces overlooking lakes or rivers.

FARMING DEVELOPS ALONGSIDE HUNTING AND GATHERING

Although the first evidence of the cultivation of cereals in pollen analyses has been dated to the Stone Age, almost 4,000 years ago, it was only in the Bronze Age, 3,500–2,500 BP, that agriculture achieved any importance. The first, and for a long time the most important cereal was barley, but some rye and wheat was also grown in very early times.

Tuhansia vuosia vanhat kalliomaalaukset ovat vaikuttavia muistoja esihistorialliselta ajalta. Kirkkonummi, Juusjärvi.
The ancient rock paintings are impressive reminders of pre-historic times. Lake Juusjärvi, Kirkkonummi.

Hirvi on kautta aikojen ollut tärkeä riistaeläin suomalaisille eränkävijöille. Sodankylä, syyskuu.

The elk has always been an important animal for Finnish hunters. Sodankylä in September.

Jo tuhansia vuosia sitten alkanut maanviljely ja peltojen raivaus on avartanut maisemia merkittävästi. Ruista Korteniemen perinnetilalla Tammelassa.
The clearing of fields for agriculture, which began thousands of years ago, has done much to open up the landscape. Rye on a traditional farm at Tammela.

Maanviljelykulttuuri kehittyy metsästyksen ja keräilytalouden rinnalla

Viljelykasvien ensimmäiset siitepölylöydöt on ajoitettu Suomessa kivikaudelle, lähes 4 000 vuoden ikäisiksi. Viljelyn merkitys lisääntyi kuitenkin vasta pronssikaudella, noin 3 500–2 500 vuotta sitten. Ensimmäinen ja pitkään myös tärkein viljelykasvi oli ohra, mutta myös ruista ja vehnää kasvatettiin jo varhain.

Maanviljelyn ensimmäinen muoto oli etenkin Itä-Suomessa kaskiviljely. Siinä vilja, joka oli yleensä ruista, kylvettiin edellisenä vuonna kaadettuun ja keväällä kaskeamalla poltettuun metsään. Rannikkoseudulla harjoitettiin jo varhain myös pienimuotoista peltoviljelyä, kun merestä nousseet savikot otettiin käyttöön ennen kuin ne ehtivät metsittyä.

Varsinainen viljelykulttuuri yleistyi Suomessa vasta ajanlaskumme alun tienoilla, ja metsien raivaus pelloiksi ja niityiksi alkoi vähitellen vaikuttaa maisemiin merkittävämmin. Etelä- ja Länsi-Suomen laajat lehti- ja jalopuumetsät saivat monin paikoin luovuttaa viljavan kasvualustansa maanviljelyn ja karjankasvatuksen käyttöön.

Viljelykulttuurin myötä väestö alkoi asettua paikoilleen, ja rautakauden lopulla, noin 1 000 vuotta sitten, alkoi kehittyä kyliä kulttuurimaiseman uudeksi osaksi. Niitä muodostui eniten Etelä-Suomen ja Pohjanmaan viljelyalueille ja jokien varsiin – Itä-Suomessa ei harvakseen sijaitseva viljelyskelpoinen maa eivätkä maaston muodot suosineet samalla tavoin kyläyhteisöjen syntymistä.

Kaskiviljely säilytti asemansa metsäisessä Itä-Suomessa pitkään. Se lisääntyi siellä merkittävästi 1500-luvun jälkeen väestömäärän kasvaessa ja oli yleistä vielä 1800-luvun puolivälissä. Kaskenpoltto muutti maisemaa lehtipuuvaltaisemmaksi, koska palaneen maan valtaavat yleensä ensimmäisenä koivut ja harmaaleppä. Kaskeamisen vähetessä 1800-luvun lopulla lisääntyi kauran ja vehnän viljely.

Sukupolvien ajan jatkunut uusien peltojen raivaus kasvatti vähitellen maamme viljelyalaa, vaikka yksittäiset tilat olivat erilaisten maanositusten takia yleensä melko pieniä. Noin kaksi kolmasosaa Suomen pelloista ja niityistä on raivattu metsiin ja loppuosa lähinnä soille. Lisäksi peltoalaa kasvatettiin järviä kuivattamalla. Niitä kuivatettiin etenkin 1700- ja 1800-luvuilla, yhteensä noin 3 000 järveä.

Ihmisten uuttera työ avarsi aikaa myöten maisemaa ja alkoi luoda sitä peltojen, niittyjen, metsien ja järvien mosaiikkia, joka antaa suomalaisille kulttuurimaisemille niille luontaisen perusilmeen.

Metsien käyttö lisääntyy

Maatalouden tarpeiden, kuten kaskenpolton, lisäksi metsiä alettiin vähitellen käyttää myös orastavan teollisuuden erilaisiin tarkoituksiin, mikä vaikutti osaltaan puustoon ja maisemiin. Rautakaivoksia, rautaruukkeja ja vesisahoja perustettiin Suomen

The oldest form of agriculture in Eastern Finland in particular was swidden cultivation, in which the grain, usually rye, was planted in an area of the forest that had been felled the previous year and burned over in the spring. Small-scale field cultivation was also practised at an early stage on the coast, where the clay soils emerging from the sea could be taken into use before the forest had time to invade. Actual field cultivation as such became common in this country only around the time of the birth of Christ, however, and it was from this time onwards that the clearing of forest for arable use began to have an ever-increasing influence on the landscape. The vast deciduous forests of the south and west gradually gave way to arable farming and livestock rearing.

The adoption of agriculture also meant the establishment of permanent settlements, and by the end of the Iron Age, around 1,000 BP, villages had gradually begun to develop as a new element in the cultural landscape, mostly in the agricultural areas and on the river banks in Southern Finland and Ostrobothnia. Meanwhile swidden cultivation retained its popularity in the east, increasing greatly from the 16th century onwards as the population grew and continuing to be common even in the mid-19th century. One consequence of this was that the landscape became dominated by deciduous forests, as the first trees to invade the former burned-over areas were birches and grey alders. As swidden cultivation died out in the late 19th century the cultivation of oats and wheat increased.

As each generation cleared more land, the total area under cultivation in Finland gradually increased, although the division of farms upon inheritance meant that actual farm sizes remained fairly small. About two-thirds of the fields and meadows have been cleared from the forest at some time and the remainder mostly from peatlands, although it was also common in the 18th and 19th centuries to create fields by draining lakes, some 3,000 instances of this having been recorded.

The hard work put in on the land gradually had the effect of opening up the landscape and fashioning it into the mosaic of fields, meadows, forests and lakes that is so characteristic of it today.

Exploitation of the forests increases

Apart from satisfying the needs of grain cultivation, in the form of swiddens, the forests gradually came to be used to meet the demands of industry as this began to develop. Mines, ironworks and water-powered sawmills began to function in Finland from the mid-16th century onwards, the earliest industry having spread through the efforts of Swedish entrepreneurs, as Finland was a part of Sweden from the Middle Ages until it came under Russian rule in 1809. Many of the ironworks were in fact created here because of a fear that Swedish timber resources would be exhausted.

This exploitation of the forests, which had a considerable impact on the growing stock and the landscape, soon aroused the passions of both those who supported such activity and those who alueelle jo 1500-luvun puolivälissä. Varhainen teollisuus levisi maahamme usein ruotsalaisten yrittäjien ansiosta, koska Suomi oli keskiajalta alkaen – ja aina Venäjän alaisuuteen siirtymiseen asti vuoteen 1809 – osa Ruotsia. Esimerkiksi monia rautaruukkeja perustettiin Suomen puolelle emämaan omien metsävarojen ehtymisen pelossa.

Metsien käyttö herätti jo varhain ristiriitaisia tunteita puolesta ja vastaan. Metsien hyödyntämisen kannattajat eivät juuri olleet huolissaan niiden lisääntyneestä käytöstä, koska metsät ja luonto oli pitkään koettu eränlaiseksi vastustajaksi, joka haluttiin saada ihmisen hallintaan – olihan se ehtinyt halloineen ja katovuosineen koetella ihmisiä jo kylliksi. Toisaalta valtion hallinto puuttui jo 1600- ja 1700-luvulla metsien käyttöön ja antoi esimerkiksi hakkuita rajoittavia määräyksiä, koska metsien pelättiin ehtyvän.

Puun arvon nousu sahateollisuuden raaka-aineena ja metsien polttamisen yleinen vastustus johti vähitellen kaskeamisen päättymiseen, mikä säästi metsiä – usein muihin tarkoituksiin. Tervanpoltto rasitti männiköitä etenkin Pohjanmaalla ja Itä-Suomessa, ja terva oli 1600-luvulta 1800-luvun puoleenväliin Suomen tärkein vientituote. Komeimpia mäntymetsiä verottivat myös laivanrakennuksen tarpeet sekä 1860-luvulla höyrysahojen myötä voimistunut sahateollisuus.

MAISEMAT SUOMALAISUUDEN TUNNUKSINA

Metsien lisääntynyt teollinen hyödyntäminen voimisti vähitellen ajatuksia niiden käytön rajoittamisesta ja suojelusta. Ensimmäisiä askelia Suomen metsien suojelussa lienee otettu, kun Venäjän keisari Aleksanteri I vieraili Punkaharjun maisemissa 1800-luvun alussa ja vaikutti alueen komean puuston säilyttämiseen. Lisäksi valtio hankki 1800-luvun lopulla luonnonsuojelutarkoituksessa arvokkaita alueita ainakin Imatrankoskelta ja Aavasaksalta, jotka olivat olleet matkailunähtävyyksiä jo 1700-luvulla. Suomen ensimmäinen varsinainen luonnonsuojelualue oli Mallatunturi, joka rauhoitettiin vuonna 1916.

Suomalaisten maisemien ja luonnon arvostusta lisäsivät myös taiteilijat. Zacharias Topeliuksen toimittama ja monien aikansa tunnettujen taiteilijoiden piirroksin kuvittama tietoteos *Finland framställdt i teckningar* ilmestyi useana osana 1800-luvun puolivälissä ja *Maamme kirja* vuonna 1875. Yhdessä Suomen tyyppimaisemia kuvaavien opetustaulujen kanssa ne loivat vahvan kuvan Suomen maisemien ominaispiirteistä, jotka tulivat koululaitoksen kautta kaikkien kansankerrosten tietoon.

Kansallisromanttiset taiteilijat hakivat yhä enemmän aiheitaan kotimaan maisemista ja lisäsivät luonnon ja komeiden maisemien arvostusta 1800-luvun loppupuolella ja 1900-luvun alussa. Järviluonnon vaikuttavimmat nähtävyydet kuten Koli ja Punkaharju nousivat paljolti taiteen ansiosta kansallisiksi symboleiksi, jotka olivat tärkeitä vuonna 1917 itsenäistyneen maamme kansallisen itsetunnon kehitykselle. Taiteilijoiden jalanjälkiä seurasivat myöhemmin lukemattomat matkailijat.

were opposed to it. The former had always looked on nature and the forests as an adversary to be subjugated, especially since the people had suffered quite enough from the effects of early night frosts and crop failures. On the other hand, the Swedish administration itself intervened in the exploitation of the forests in the 17th and 18th century by restricting felling, as it feared a shortage of timber in the future.

It was the rise in the value of timber as a raw material for the sawmills and the general opposition to burning the forests that led to the gradual abandonment of swidden cultivation, which saved the timber for other uses. Tar burning was one of these, being particularly common in Ostrobothnia and Eastern Finland, so that tar became the country's principal export commodity from the 17th century to the mid-19th century. The more sturdy pine forests were in turn sacrificed to the needs of shipbuilding, and also to those of the sawn timber industry, which was stimulated greatly by the introduction of steam power in the 1860s.

LANDSCAPES AS A SYMBOL OF FINNISH IDENTITY

The industrial exploitation of the forests led gradually to a movement for their preservation and the placing of restrictions on their use. One of the first preservation orders to be enacted in Finland must have been that issued by Czar Alexander I of Russia when he visited Punkaharju in the early 19th century and proposed that all felling should cease in the area. Later, at the end of the century, the state acquired for nature conservation purposes certain valuable forests close to Imatrankoski and Aavasaksa, which had been tourist attractions from the 18th century onwards. The first true nature reserve to be created was that of Mallatunturi, in 1916.

The Finns were also encouraged by artistic means to respect nature and landscapes. The book *Finland described in Pictures*, edited by Zacharias Topelius and containing illustrations by many well-known contemporary artists, was published in several parts in the mid-19th century and the same author's *Book of Our Land* in 1875, and these together with a series of typical landscape scenes used for teaching in schools created a firm body of information on the features of Finnish landscapes that was transmitted to all strata of society.

The artists of the National Romantic school began to take their themes from the landscapes of the homeland more and more towards the end of the 19th century and in the early 20th century, and this further increased the value placed on nature and spectacular scenery. The most impressive scenes, such as the view from the hill of Koli or the esker of Punkaharju with its lakes on either side, became established as national symbols and played an important part in the development of a national identity for the new republic of Finland when it gained independence in 1917. Innumerable tourists have followed in the footsteps of these artists in more recent times.

Suomalaisuuden juuret ovat syvällä luonnossa. Taiteilijoiden ja muiden komeita maisemia tunnetuksi tehneiden jalanjälkiä seurasivat
lukemattomat matkailijat. Aavasaksa ja sieltä Torniojokilaaksoon avautuva kansallismaisema on ollut matkailunähtävyys jo 1700-luvulta lähtien.
The Finnish culture is rooted deep in nature. Innumerable tourists have followed in the footsteps of the artists and explorers who first discovered the country's
magnificent landscapes. The hill of Aavasaksa and the view of the Tornio Valley from its summit have been a tourist attraction since the 18th century.

49

Viljelykulttuuri synnytti jo varhain kiinteää asutusta. Sukupolvien ajan jatkunut tilanpito ja rakentaminen ovat luoneet suomalaisille kulttuurimaisemille niille ominaisen ilmeen ja rakennuskannan, joka sisältää usein paikallisia vivahteita. Vöyri, heinäkuu.

Agriculture soon led to the first permanent settlements, and generations of farming have given the countryside its characteristic appearance and typical buildings, with local variations, of course. Vöyri in July.

Kaupunkeja ja korkeaa teknologiaa

Cities and technology

Suomen rannikolle ja liikenteen solmukohtiin kehittyi jo rautakaudella asutuksen ja kaupan keskuspaikkoja. Suomen vanhimmat kaupungit Turku, Ulvila, Porvoo, Naantali ja Rauma syntyivät vesireittien yhteyteen keskiajan loppupuolella, 1300- ja 1400-luvulla. Tosin esimerkiksi Turun vanhimmat osat rakennettiin jo 1100-luvulla. Vanhimmista kaupungeista vain Porvoon kaupunkirakenteessa on säilynyt keskiaikaisia piirteitä.

Huomattava osa Suomen kaupungeista perustettiin hallinnollisilla päätöksillä Ruotsin vallan aikana. Metsäteollisuus ja tehtaiden rakentaminen synnytti myöhemmin monia kaupunkeja vesistöjen varsille. Maanteiden ja rautateiden rakentaminen kasvatti kaupunkeja liikenteen risteyspaikkoihin, ja myös satama, linna tai kaivos saattoi olla kaupungin kehittymisen syy.

Helsingin perusti Ruotsin kuningas Kustaa Vaasa vuonna 1550. Turku oli kuitenkin vielä satojen vuosien ajan muun muassa Suomen hallinnollinen ja yliopisto-opetuksen keskus. Jo 1700-luvun puolivälissä siellä oli lähes viisikymmentä kivirakennusta, kun Helsingissä oli vain yksi. Vasta vuonna 1812 – Suomen jo siirryttyä Venäjän valtaan – Helsingistä tuli Suomen suurruhtinaskunnan pääkaupunki ja vuonna 1917 itsenäisen Suomen pääkaupunki. Helsingin ytimeksi rakennettiin 1800-luvun alkupuolella arkkitehti C. L. Engelin luoma tyylikäs empirekeskusta, johon kuuluvat muun muassa Yliopiston päärakennus, Valtioneuvoston linna sekä yksi Helsingin tärkeimmistä symboleista, Tuomiokirkko.

Suomen kaupungeille oli tyypillistä, että ne olivat pitkään pieniä ja niiden asukasmäärä oli vähäinen. Maisemiltaan kaupungit eivät aluksi muistuttaneet juurikaan nykyisiä kivi- ja betonikortteleita, vaan olivat ennemminkin puurakenteisia mökkikyliä kuten esimerkiksi Helsingin Katajanokka 1860-luvun kuvissa. Vielä sata vuotta sitten suomalaisista asui kaupungeissa vain noin kymmenen prosenttia. Viime vuosisadan aikana tapahtunut vilkas muuttoliike ja väestön keskittyminen muuttivat kuitenkin tilannetta olennaisesti.

Muuttovirta maaseudulta kaupunkeihin oli nopeinta 1950–70-luvuilla, kun väestöä siirtyi taajamiin työn, opiskelun ja paremman elintason etsimisen takia. Maaseutu alkoi autioitua, kun tehostunut maatalous ei tarjonnut enää työtä kaikille ja teollistuminen veti väkeä kaupunkeihin. Silloin syntyi ja kehittyi myös kaupunkien lähiökulttuuri: uusia kaupunginosia ei liitetty suoraan valmiiseen kaupunkirakenteeseen, vaan väliin jätettiin luonnontilaisia alueita. Ideaalinen esimerkki tästä ajattelusta on Espoon Tapiolan puutarhakaupunki, joka on myös yksi Suomen kansallismaisemista.

Centres of trade and settlement had gradually developed on the coast of Finland and at crucial points on waterways and natural routes even in the Iron Age, and the oldest of the country's present-day towns and cities, Turku, Ulvila, Porvoo, Naantali and Rauma, all grew up beside waterway routes in the late Middle Ages, mostly in the 14th and 15th centuries, although the oldest parts of Turku admittedly date from the 12th century. Only Porvoo has preserved any of its medieval features. A considerable number of the Finnish towns were founded by administrative decree during the period of Swedish rule, and many others grew up as a result of the building of pulp and paper mills, sawmills or factories beside lakes and rivers, while the construction of the road and railway networks caused others to develop at important intersections. Similarly a harbour, castle or mine could serve as a sufficient reason for the emergence of a town.

Turku was the administrative and academic centre of the country for centuries, so that by the mid-18th century it had almost 50 stone or brick buildings, whereas Helsinki, founded by King Gustaf Vasa of Sweden in 1550, had just one. The latter city became the capital of Finland only in 1812, under Russian rule, and it then continued as the capital of the independent republic from 1917 onwards. The Empire-style city centre, including the main building of the University, the offices of the Council of State and an outstanding symbol of Helsinki, the Cathedral, was designed by the architect C. L. Engel in the early 19th century.

The towns of Finland remained for a long time extremely small in size and population, and could scarcely have been said to resemble the modern stone and concrete complexes of today, being more in the nature of collections of wooden huts, as was apparently still the case with the Katajanokka district of Helsinki in the 1860's. Less than a tenth of the population of Finland a hundred years ago lived in the towns, but since that time the situation has altered radically as a result of migration and the concentration of population. Migration from the countryside into the towns was at its height in the 1950s–1970s, as the intensified agriculture practised at that time could no longer provide work for everyone and industrialization was attracting people into the towns, mostly in search of work, study opportunities or a higher standard of living. It was then that the suburban culture of the cities developed, although the new areas were not usually added onto the existing urban structure directly but only after leaving an intervening strip of land in a natural state. A perfect example of this is Tapiola Garden City in Espoo, which has been chosen as one of the national landscapes.

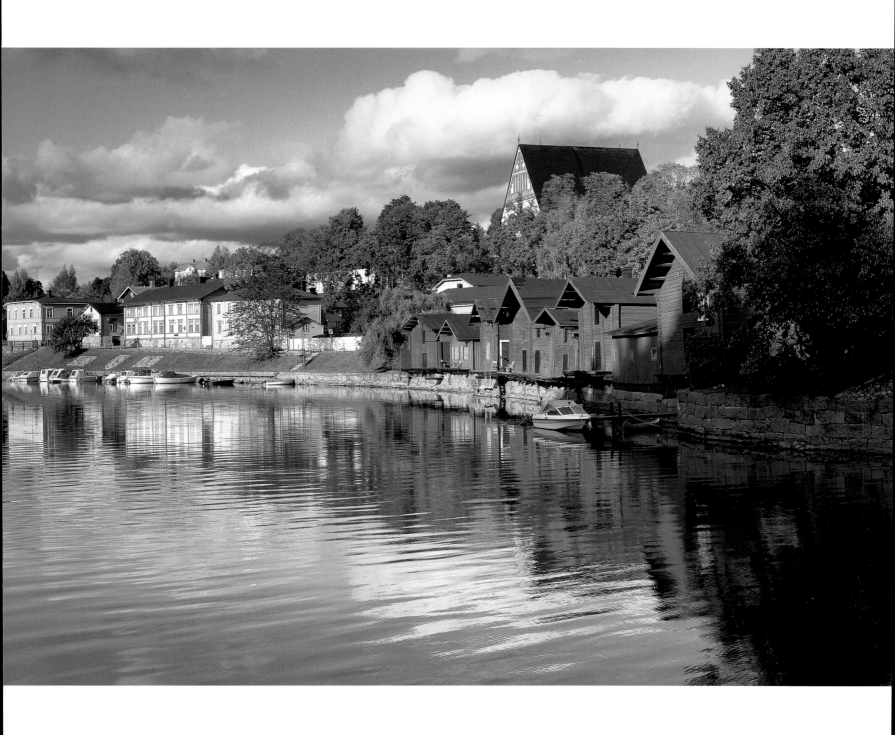

Porvoonjoen varsi on Suomen vanhimpia asuttuja seutuja, ja Porvoon kaupunki on perustettu 1300-luvulla.
Jokilaakso ja Vanha Porvoo on valittu yhdeksi Suomen kansallismaisemista.
The banks of the River Porvoonjoki are one of the oldest-inhabited areas in Finland, and the city of Porvoo was founded
in the 14th century. The river valley and old city have been selected as a national landscape.

Tampereen Pyynikinharju syntyi jääkaudella noin 10 000 vuotta sitten, ja Tammerkoski puhkaisi uomansa harjun läpi Näsijärvestä Pyhäjärveen 6 700 vuotta sitten. Tampereen kaupunki kasvoi 1700-luvun lopulta lähtien Tammerkosken rannoille perustetun teollisuuden ympärille.

The Pyynikki esker in Tampere was formed under the ice about 10,000 years ago, and the channel of the Tammerkoski rapids was opened up through it, from Lake Näsijärvi to Lake Pyhäjärvi, about 6,700 years ago. Tampere has developed around the industrial sites that grew up on its banks from the late 18th century onwards.

Teollisuus ja kaupungit kehittyivät usein vesivoiman äärelle. Tampereen Tammerkosken kansallismaisemaa helmikuisena pakkasaamuna.

Industry and towns often grew up around sources of water power. The national landscape of Tammerkoski in the centre of Tampere on a frosty February morning.

Kaupunkien nopea kasvu – uuden rakentaminen ja usein myös vanhan purkaminen – on jatkuvasti muuttanut maisemia kaupungeissa ja niiden ympäristössä ja tehnyt omalta osaltaan kaupungeista eläviä. Toisaalta kaupunkimaiseman rakennustarvikkeet, kuten graniittikivet, betonin ja asfaltin ainesosat, puu, teräs ja lasi ovat merkinneet eriasteisia maisemamuutoksia myös rakennusmateriaalien lähteillä.

Tilastokeskuksen luokittelun mukaan nykyisin noin 60 prosenttia suomalaisista asuu kaupungeissa ja kaikkiaan erikokoisissa taajamissa asuu yli 80 prosenttia väestöstä. Kansainvälisessä vertailussa suomalaiset kaupungitkin ovat kuitenkin – ydinkeskustoja lukuun ottamatta – hyvin väljästi rakennettuja. Monetkaan kaupungeista eivät täyttäisi edes Euroopan unionissa käytettyä kaupunkimääritelmää, jonka mukaan kaupungissa tulee olla yli 50 000 asukasta ja vähintään 500 asukasta neliökilometrillä. Suomalaisten kaupunkien viihtyisyyden kannalta ovat rakentamisen väljyys ja viheralueiden suuri määrä varmasti arvokas asia, jonka merkitys vain kasvaa.

Vaurautta metsiä hyödyntäen

Suomen metsä- ja puunjalostusteollisuuden kehitys alkoi nopeutua 1800-luvun puolivälin jälkeen. Tällöin perustettiin muun muassa ensimmäiset puuhioketta käyttävät paperitehtaat. Yksi syy teollisuuden kasvuun oli monien sen toimintaa rajoittaneiden määräysten poistaminen. Esimerkiksi sahateollisuus vapautettiin tuotantokiintiöistä 1860-luvun alussa. Puuta käytettiin paitsi raaka-aineena myös energialähteenä.

Pian 1800-luvun puolivälin jälkeen rakennettiin myös ensimmäiset rautatiet, jotka tehostivat puun kuljetuksia. Rannikolla jo vuosisadan alkupuoliskolla alkanut höyrylaivaliikenne lisäsi puun, selluloosan ja paperin vientiä ulkomaille. Kun kasvava teollisuus tarvitsi uusia koneita ja laitteita, syntyi lisää muun muassa konepajateollisuutta. Suomen alkava vaurastuminen 1900-luvun alkupuolella perustui silti suurelta osin puutavaran ja paperin tuotantoon ja vientiin.

Jo 1930-luvun lopulla Suomi oli maailmanlaajuisesti merkittävä sahatavaran, selluloosan ja paperin valmistaja. Toinen maailmansota muutti kuitenkin teollisuuden painopistettä metallituotteisiin, koska valtaosa Neuvostoliitolle maksettavista sotakorvauksista oli valmistettava metalliteollisuudessa. Sotien jälkeen myös metsäteollisuus voimistui uudelleen, ja puuvarojen käyttö saavutti huippunsa 1960-luvulla. Se on ollut ainoa aika Suomen historiassa, jolloin metsien kokonaispoistuma on ylittänyt niiden kasvun.

Puun suuren kulutuksen takia metsänhoidon ensisijaiseksi tavoitteeksi nostettiin metsien nopea kasvu ja tehokas uudistaminen. Metsiä alettiin "viljellä", ja metsänhoitoon kuului myös laajamittainen lannoittaminen kasvun nopeuttamiseksi, suhteellisen suuret yhtenäiset hakkuut ja metsien uudistus aurauksin ja istutuksin. Lisäksi metsäalaa kasvatettiin soita kuivattamalla ja Suomeen rakennettiin tiheä metsäautotieverkko.

The rapid growth of the cities, involving a great deal of new building and some demolition of old houses, has brought about constant changes in urban and suburban landscapes and has done much to enliven them. At the same time, however, the use of materials typical of urban settlements such as granite blocks, concrete and asphalt, timber, steel and glass has meant a certain degree of landscape change, not only in the towns themselves but also at the sources of the materials.

According to the Statistics Finland classification, about 60 percent of the Finnish population live in towns nowadays and over 80 percent in built-up areas. On the other hand, apart from the very centres, the Finnish towns are very loosely constructed by international standards, and many of them do not even meet the European Union's criteria for urban settlement: over 50,000 inhabitants in all and a density of at least 500 per square kilometre. The spacing of the buildings in the Finnish towns and the large numbers of green areas are valuable attributes, however, and they can only be expected to increase in importance in the future.

Affluence from the forests

The forest and wood processing industries in Finland began to develop in earnest from the mid-19th century onwards, when the first paper mills processing mechanical wood pulp were set up. One reason for this stride forward was the lifting of many of the earlier restrictions on industrial activity, e.g. the production quotas imposed on sawmills, which were abolished in the 1860s. Wood was now being used both as a raw material and as a fuel.

It was also in the second half of the 19th century that the first railways were built, providing a much more efficient means of transporting timber, just as the steamship services that began to operate along the coasts in the early part of the century had done much to promote exports of timber, pulp and paper. When industry required new equipment and machinery, this gave rise to engineering works. The major increase in wealth in Finland in the early 20th century was nevertheless to a great extent attributable to the production and exporting of timber and paper.

By the end of the 1930s Finland was already a major producer of sawn timber, pulp and paper for the world market, but the Second World War shifted the emphasis towards metal products, as the war reparations to the Soviet Union were to be paid in products of this kind. The forest industry also prospered in the post-war period, however, and exploitation of the nation's timber resources reached its peak in the 1960s. This was the only period in Finnish history when the total volume of felling from the forests has exceeded total growth.

In response to the high consumption of wood, forests began to be "cultivated", and forest management came to include wide-scale fertilization in order to improve growth, the felling of relatively large continuous areas and the ploughing of cleared land for replanting with saplings. The total area of forest land was increased by draining mires, and accessibility was improved by building forest roads.

Helsinki on perustettu vuonna 1550 ja Suomen pääkaupunki siitä tuli 1812, jolloin siellä oli vain noin 5 000 asukasta.
Helsingistä on kehittynyt yli puolen miljoonan asukkaan suurkaupunki, ja koko pääkaupunkiseudulla asuu yli miljoona ihmistä.

Founded in 1550, Helsinki became the capital of Finland in 1812, when it had a population of about 5000 people.
Now the city and its surroundings have developed into a metropolis of over a million inhabitants.

Nykyisin Suomessa käytettävät metsänhoitomenetelmät ovat monilta osin entistä luonnonmukaisempia, ja myös luonnon monimuotoisuuden säilymistä pyritään vaalimaan aiempaa paremmin. Metsätalouden tavoite on toimia kestävän kehityksen periaatteiden mukaisesti, ja nykyisin metsien käyttö on niiden tuottoa pienempää. Metsäteollisuuden osuus Suomen viennistä on viime vuosina jonkin verran vähentynyt, tosin lähinnä muiden teollisuudenalojen vahvistumisen takia.

Vaikka metsien laaja taloudellinen hyödyntäminen on herättänyt usein ristiriitaisia tunteita, on syytä pohtia metsien ja metsätalouden merkitystä maamme kehitykselle. Metsien korjuu, metsäteollisuus ja sen rinnalle kehittynyt muu teollisuus tuoneet suomalaisille paljon työtä ja vientituloja. Ne ovat kasvattaneet niitä pieniä ja suuria pääomia, jotka ovat olleet koko Suomen hyvinvoinnin, kehityksen sekä teknologian nykyisen korkean tason yksi tärkeä edellytys.

Korkean teknologian maa

Myös Suomen teollisuuden tällä hetkellä tärkeimmän ja tunnetuimman yrityksen Nokian juuret ulottuvat metsäteollisuuteen – Tampereelle, niin sanotulle Takon tontille vuonna 1865 rakennettuun puuhioketehtaaseen ja 1871 perustettuun Nokia Ab:iin. Monien vaiheiden, yritysjärjestelyiden ja määrätietoisen työn ansiosta Nokiasta on kehittynyt maailman suurin matkapuhelinvalmistaja ja yksi johtavista tietoliikenneverkkojen toimittajista.

Suomessa on sähkö-, metsä- ja metalliteollisuuden lisäksi kansainvälisestikin merkittäviä yrityksiä lukuisilla muillakin aloilla kuten elintarvike-, rakennus-, kaivos- ja kemianteollisuudessa. Valmistustapojen kehittymisen ja teknologiayritysten myötä tuotannon painopiste on siirtynyt perinteisestä "savupiipputeollisuudesta" korkeaan teknologiaan, mitä voidaan pitää luonnon kannalta hyvänä suuntauksena. Nykyisin tosin kaikilla teollisuudenaloilla on otettu varsin hyvin huomioon myös ympäristöasiat. Luonnonsuojelun, asennemuutosten, lainsäädännön ja ympäristöinvestointien ansiosta esimerkiksi Suomen vesistöjen ja ilman laatu on tätä nykyä parempi kuin vuosikymmeniin. Myös metsät kasvavat ja tuottavat puuta enemmän kuin kenties koskaan aiemmin.

Suomen nykyinen asema laajalti arvostettuna maana ei liene itsestäänselvyys, sillä esimerkiksi teollistuminen alkoi Suomessa myöhemmin kuin monissa muissa pitkälle kehittyneissä maissa. Suomen menestyksen yksi tärkeä perusta on varmasti ollut hyvin toteutettu koulujärjestelmä. Maassamme kiinnitettiin paljon huomiota yleisen koululaitoksen kehittämiseen jo 1800-luvun puolivälistä alkaen. Pian toisen maailmansodan jälkeen, 1950-luvulla, Suomi oli maailman lukutaitoisin maa – lukea osasi jo silloin 99 prosenttia väestöstä, ja uusimmissa lukutaitotutkimuksissa Suomi on edelleenkin kärkipaikalla. Korkeasta koulutustasosta kertoo myös, että nykyään yliopisto- ja ammattikorkeakouluopiskelijoita on jopa noin 80 prosenttia ikäryhmästä.

The forest management techniques in use nowadays are in many respects more "natural" than these, and more effort is made to preserve the diversity of nature. Today's forestry is based on sustainable development, which means that exploitation is well below the level of growth. Similarly, the forest industry accounts for a slightly smaller proportion of the nation's export trade, but that is mainly on account of increases in other spheres.

Although the large-scale economic exploitation of the forests has often aroused conflicting passions, it should be remembered that forestry has been the backbone of the nation's development in the past, with the forest industry and related branches employing a large part of the population and earning a substantial proportion of the country's export income. It is these, too, that provided the capital on which Finland's development, affluence and high standard of technology have been based in more recent times.

A land of high-tech

The best-known and most significant of Finland's industrial companies, Nokia, owes its origins to the forest industry, in fact to a mechanical pulp mill constructed on the site of the present-day Tako mill in Tampere in 1865 and the company Nokia Ab founded in 1871. After many intermediate stages, mergers and reorganizations, and by virtue of much persistent hard work, Nokia has emerged as the world's largest manufacturer of mobile phones and one of its leading telecommunications suppliers.

Apart from electronics, the forest cluster and metalworking, Finland also has internationally significant companies in many other branches of industry, including food processing, constructional engineering, mining and chemicals. This means, of course, that the focus of attention has shifted from traditional "smokestack" industries to high-tech, which may be regarded as a good move as far as preservation of the natural environment is concerned, although it must be said that all branches of industry in Finland are committed to taking environmental considerations into account. This conservation work, the changes in attitudes that have been brought about, new legislation and recent investments in environmental protection mean that the quality of the water and air in Finland is better now than it has been for decades and that the forests are producing more timber than ever before.

Finland's status as a respected industrial nation is not a foregone conclusion, as industrialization began later here than in most other developed countries. The foundation for its development and success was undoubtedly laid by the highly advanced school system, which has been purposefully developed since the middle of the 19th century. Soon after the Second World War, in the 1950s, Finland gained the highest rate of literacy in the world, 99 percent, and the most recent evaluations have shown that it is still in the lead. It has also been calculated that about 80 percent of each year's school leavers go on to either vocational or higher education.

Suomen nopean kehityksen yksi taustatekijä on korkea koulutustaso.
Ylioppilaiden perinteinen soihtukulkue Helsingin Senaatintorilla itsenäisyyspäivänä 6. joulukuuta.
One factor in Finland's rapid development has been the high level of education.
The traditional student procession at the Senate Square in Helsinki on Independence Day, 6th December.

Meren rannalla Espoon Keilaniemessä sijaitsee monen suomalaisen huipputekniikkayrityksen toimitiloja.

Many Finnish high-tech firms have their premises beside the sea at Keilaniemi in Espoo.

Menestymisen syitä arvioitaessa ei sovi myöskään unohtaa sitä kuuluisaa "suomalaista sisua", jolla esimerkiksi Hannes Kolehmainen ja Paavo Nurmi juoksivat Suomen maailmankartalle jo kauan ennen teknologista maailmanvalloitusta. Tämän sitkeyden ja vahvan yrittämishengen syntymiseen on varmasti ollut osansa Pohjolan karuilla luonnonoloilla, joissa ei ilman sisua yksinkertaisesti ole selvinnyt. Luonnosta ovat vahvoja vaikutteita saaneet myös monet suomalaisen kulttuurin suuret nimet kuten Aleksis Kivi ja Jean Sibelius.

VAPAA-AJAN JA LUONNON MERKITYS KASVAA

Suomalaisten halulla palata vapaa-aikanaan luonnon ja maaseudun rauhaan on pitkät perinteet. Kaupungistuminen, ahkera työnteko ja kiireinen elämänrytmi ovat entisestään lisänneet luonto- ja virkistysmatkailun merkitystä ja kasvattaneet jatkuvasti esimerkiksi kesämökkien ja -asuntojen määrää. Nykyisin niitä on maassamme jo lähes puoli miljoonaa.

Myös erilaisilla suojelualueilla on tärkeä merkitys luonnon virkistyskäytössä. Maan eri osiin on perustettu lukuisia luonnonpuistoja ja kansallispuistoja. Niillä on pyritty ensisijaisesti turvaamaan Suomen luonnon arvokkaimpien osien, erilaisten luontotyyppien ja luonnon monimuotoisuuden eli biodiversiteetin säilyminen.

Luonnonpuistot on tarkoitettu lähinnä tieteellisiin tarkoituksiin, mutta kansallispuistot ovat kaikille avoimia ja maksuttomia paikkoja kokea luontoelämyksiä. Tätä nykyä Suomessa on 34 kansallispuistoa ja uusiakin on suunnitteilla. Lisäksi on omilla ohjelmillaan suojeltu muun muassa soita, harjuja, lehtoja, rantoja, erämaa-alueita ja muitakin erityisalueita. Yhteensä nämä erilaiset suojelu- ja erämaa-alueet kattavat Suomen pinta-alasta tällä hetkellä noin yhdeksän prosenttia.

Suomen liityttyä Euroopan unioniin on lisäksi määritetty niin sanottuja Natura-alueita, jotka ovat osa eurooppalaista luonnonsuojeluverkostoa. Suomessa näistä alueista suurin osa on jo aiemmin kuulunut erilaisiin suojeluohjelmiin tai -varauksiin. Natura-alueiden piiriin kuuluu tätä nykyä noin 12 prosenttia maamme pinta-alasta.

Suomessa on myös "tavallista" rakentamatonta luontoa suhteellisen paljon, sillä maamme noin 340 000 neliökilometrin pinta-alasta rakennetut taajamat käsittävät vain alle kaksi prosenttia. Jokaiselle Suomen yli viidelle miljoonalle asukkaalle riittäisi metsääkin lähes viisi hehtaaria, mikä on noin 16 kertaa enemmän kuin Euroopan unionissa keskimäärin.

Suomen luonnon monimuotoisuus ja perinteiset käyttötavat, kuten metsästys, kalastus, retkeily, marjastus ja sienestys, antavat oivallisia mahdollisuuksia nauttia luonnosta eri tavoin. Monille mieluisimpia kohteita ovat Lappi ja Saaristomeri, joissa on tilaa ja avaraa luontoa rauhoittumiselle. Toisaalta metsät, Järvi-Suomen idylliset vesistöt tai maaseudun kulttuurimaisemat ovat useiden mielestä aidointa Suomea. Näistä Suomen monista piirteistä kerrotaan kirjan seuraavissa luvuissa.

While on this subject, we must not forget the famous guts, or *sisu*, which enabled athletes such as Paavo Nurmi to run Finland onto the map of the world long before the high-tech boom. The barren conditions in the north have undoubtedly played their part in developing this tenacity and powerful spirit of endeavour, for without *sisu* it would have been impossible to survive here. Nature has also had a profound influence on many of the great names of Finnish cultural life, such as the writer Aleksis Kivi and the composer Jean Sibelius.

INCREASED IMPORTANCE OF NATURE AND LEISURE

The Finns have a long tradition of returning to the countryside and nature to spend their leisure time, and the hurried pace of life and work nowadays has further increased the popularity of nature tourism and recreation, especially in the form of second homes – summer cottages or villas. There are now almost half a million of these in Finland. Another manifestation, of course, is the use of nature conservation areas for recreation purposes. Numerous national parks and nature parks have been created all over the country in an attempt to preserve the most valuable elements of the natural environment, its biodiversity and examples of different biotopes. The nature parks are intended mostly for scientific use, but the national parks are open to everyone free of charge. Finland has 34 national parks at present, and others are planned. In addition there are various conservation programmes aimed at protecting mires, eskers, fresh herb-rich forests, shores, wilderness areas and certain other special land categories. Altogether protected areas account for about 9 percent of its total territory.

Following membership of the European Union, Finland has also defined a set of areas for protection under the pan-European Natura conservation network. The majority of the Finnish areas designated under this network, amounting to about 12 percent of the country's total area, are already assigned or proposed for protection under other programmes.

There are also relatively large tracts of "ordinary" land in a natural state, without buildings, as over 98 percent of the total territory of approximately 340,000 square kilometres lies outside the built-up areas. There would be enough forest alone for every one of the five million Finns to own almost five hectares, about 16 times as much as for the European Union as a whole.

The diversity of the natural environment and the traditional ways of exploiting it, by hunting, fishing, hiking and picking berries and mushrooms, provide wonderful opportunities for the Finnish people to enjoy nature in all its forms. Areas that are particularly popular are Lapland and the Archipelago Sea, where there is abundant space and a peaceful atmosphere, although for many other people it is the forests, the idyllic waterways of the Lake District or the cultural landscapes of the rural areas that represent Finland at its most genuine. We will take a look at all these in the chapters that follow.

Taajamien laajenemisesta huolimatta luonto on yhä helposti saavutettavissa myös kaupungeissa. Erilaisilla suojelualueilla pyritään vaalimaan luonnon monimuotoisuutta ja arvokkaita ympäristöjä maan kaikissa osissa. Helsinki, Kallahdenniemen harjujensuojelualue.

In spite of the spread of urban building, you can still be close to nature even in the cities. Conservation areas have been created to preserve natural biodiversity and valuable evrironments in all parts of the country. The esker protection area of Kallahdenniemi in Helsinki.

Rannikolta Saaristomerelle

From the coast to the Archipelago Sea

Itämeri, sen pitkä rantaviiva ja ainutlaatuinen saaristo ovat olennainen osa Suomea ja tarjoavat monia mahdollisuuksia elinkeinoista vapaa-ajan viettoon varsinkin kesäaikaan. Suomella on Itämeren rantaa yli tuhat kilometriä, mutta jos rannikon sokkelot ja saaret otetaan huomioon, on rantaviivan pituus jopa 40 000 kilometriä.

Rannikon eri osissa maisemat ja maanpinnan muodot eroavat toisistaan jonkin verran. Pohjanlahden ja Perämeren alueelle ovat monin paikoin ominaisia alavat, hienojakoisten maalajien verhoamat maankohoamisrannat ja hiekkadyynit. Lounaisrannikolla ja -saaristossa silmäänpistävimpiä ovat jääkauden hiomat silokalliot. Siellä, Saaristomerellä, on myös laskettu olevan yli 17 000 saarta. Se on yksi maailman laajimmista sisämerisaaristoista, ja se onkin valittu yhdeksi Suomen kansallismaisemista. Kalliot ja kivet ovat vahvasti läsnä myös itäisen Suomenlahden rannikolla. Siellä rapakivikallioperä ja köökkaat siirtolohkareet tuovat maisemiin kuitenkin usein särmikkyyttä.

Merestä nousee edelleen näkyviin uutta maata erityisesti Perämeren seudulla, missä jääkauden jälkeinen maan kohoaminen jatkuu voimakkaimpana. On arvioitu, että Pohjanlahden alueella maa nousee nykyisestä tasosta vielä 100–150 metriä ja että Perämerestä muodostuisi noin 2 000 vuoden kuluttua itsenäinen suuri järvi.

Suomea kauttaaltaan peittävän peruskallion muodot ovat parhaiten nähtävissä rannikolla ja saaristossa, missä meriveden liike on estänyt peittävien kerrosten syntymisen mannerjäätiköiden hiomien silokallioiden päälle. Myös merelle asti jatkuvien Salpausselkien muodostamat saaret, kuten Jurmo ja Sandö, ovat kiinnostavia geologisia nähtävyyksiä.

Ensimmäiset ihmiset asettuivat asumaan Saaristomeren alueelle tiettävästi noin 1000-luvun jälkeen. Tosin Ahvenanmaalta on löydetty jopa yli 5 000 vuotta vanhoja varhaiskampakeramiikkaa edustavia saviesineitä, mutta kiinteän asutuksen on arveltu hävinneen sieltä tilapäisesti viikinkiajalla. Kauppalaivat purjehtivat Saaristomerellä jo ainakin 1200-luvulla, jolloin rakennettiin myös ensimmäiset kiviset merimerkit esimerkiksi Utön ulkosaarelle. Virallisesti Utö asutettiin ensi kerran 1500-luvun puolivälissä.

Kalastus ja sitä täydentävät elinkeinot, kuten karjatalous ja maanviljely, olivat vielä 1800-luvulla merkittäviä saaristolaisten elinkeinoja. Saariston pysyvä asutus alkoi kuitenkin vähentyä 1900-luvun alusta alkaen. Utössäkin on toistaiseksi vielä ympärivuotista asutusta, mutta esimerkiksi peruskoulun tulevaisuus on tätä nykyä epävarma.

The long Baltic Sea coast and unique archipelago are essential parts of the Finnish landscape and provide important sources of livelihood and recreational opportunities, especially in summer. Finland has over a thousand kilometres of coastline, but with all the islands and indentations included, there can be said to be as many as 40,000 kilometres of shoreline.

The various parts of the coast nevertheless differ somewhat in their topology, the Gulf of Bothnia possessing mainly low-lying land uplift shores with fine-grained soils and sand dunes in places, while the most characteristic features of the south-western coast and its archipelago are rocky shores polished by the ice of the last glaciation. This latter area of the Baltic, known as the Archipelago Sea, has over 17,000 islands and is one of the world's most extensive inland sea archipelagos. It has been chosen as one of the national landscapes of Finland. Boulders and outcrops of bedrock are also prominent further east on the coast of the Gulf of Finland, where the *rapakivi* granite and large erratic boulders adds a new angularity to the landforms.

Land uplift is most conspicuous around the Bothnian Bay, the northern tip of the Gulf of Bothnia, where it is estimated that the land is still capable of rising another 100–150 metres and that the bay will be cut off to form a separate lake in 2,000 years' time.

The forms of the bedrock that covers almost the whole of Finland are seen best on the coasts and islands, where the movements of the sea water have prevented any soil layers from forming on the polished rock surfaces. Islands such as Jurmo and Sandö which represent seaward continuations of the Salpausselkä ridges are also interesting as geological formations.

The first permanent human habitation came to the area of the Archipelago Sea around the 11th century. Some Early Combed Ware ceramics have been discovered on Åland that could be over 5,000 years old, but settlement is thought to have died out there in Viking times. Merchant ships are known to have sailed in the area by the 13th century, at least, and it was then that the first stone navigational aids were built, such as the one on the distant island of Utö, although the island was officially inhabited only from the mid-16th century onwards.

Fishing, cattle rearing and arable farming were still the main sources of livelihood for the people of the archipelago even in the 19th century. Permanent settlement began to decline from the early 20th century onwards, althoug there are still people living on Utö all the year around, in spite of doubts over how long the school there will continue to be able to function. Nowadays

Meren rannikko ja ainutlaatuinen Saaristomeri tarjoavat monia mahdollisuuksia etenkin kesäisin.
Taustalla Hangon regatan purjeveneitä, etualalla rantavehnää Neljän tuulen tuvan rannassa Hangossa.
The coast and the unique Archipelago Sea offer wonderful recreation opportunities, especially in summer.
The House of the Four Winds at Hanko, with lyme grass in the foreground and yachts of the Hanko Regatta in the background.

Nykyisin saariston merkitys on lisääntynyt kesäasuntojen ja virkistystoiminnan takia, ja matkailusta on tullut saaristolaisten uusi tärkeä elinkeino. Toisaalta lisääntynyt kesämökkien määrä, veneily ja matkailu kuluttavat alueen herkkää luontoa.

Saariston kasvillisuus vaihtelee paljon sen eri osissa. Ulkosaariston kallioluodoilla olot ovat karut. Jäkälien ja kalliokasvien, kuten keltamaksaruohon ja ruoholaukan, lisäksi vain satunnainen mänty tai pihlaja saattaa olla juurtunut kiviseen maastoon. Suuremmilla saarilla ja erityisesti Ahvenanmaalla on paikoin hyvinkin reheviä ja runsaslajisia lehtoja, koska suojaisilla paikoilla saariston merellinen ilmasto on kuitenkin leuto ja lehtokasvillisuutta suosiva.

Useimpia ruohikkoisia ja metsäisiä saaria on aikojen kuluessa laidunnettu runsaasti, ja siksi saaristossa on myös paljon ketoja, nummia ja hakamaita. Erityisesti Ahvenanmaalla on säilynyt suhteellisen paljon erilaisia perinnemaisemia ja -biotooppeja.

Saaristoa ja Suomen rantoja ympäröivä Itämeri on monella tavalla poikkeuksellinen vesialue. Itämeren suolapitoisuus on keskimäärin vain 0,7 prosenttia eli noin viidesosa valtamerien suolapitoisuudesta. Sadat Itämereen laskevat joet, joiden yhteen laskettu valuma-alue on noin viisi kertaa Suomen kokoinen, laimentavat veden vähäsuolaiseksi murtovedeksi. Tanskan salmien kautta Itämereen virtaa satunnaisia voimakassuolaisen veden pulsseja, mutta suolapitoisuus vähenee lähes nollaan Perämeren ja Suomenlahden pohjukassa.

Suolapitoisuuden alhaisuuden ja ilmaston kylmyyden takia Itämeressä on eliölajeja luontaisesti selvästi vähemmän kuin valtamerissä. Monille makean veden lajeille sen vesi on liian suolaista ja valtamerien lajeille taas liian makeaa. Itämeren rantojen kasvillisuus sisältää monia tyypillisiä sisävesien lajeja, kuten järviruokoa ja -kaislaa. Sen takia Suomen rannikko ja saaristo vaikuttavat helposti valtamerien rantoja järvimäisemmiltä.

Vaikka saariston maisemat näyttävät upeilta, on vedenalainen luonto selvästi kärsinyt saastumisesta ja ravinnekuormituksen vaikutuksista, kuten happikadosta. Itämeri on helposti haavoittuva, koska se on mereksi hyvin matala. Sen keskisyvyys on vain noin 54 metriä, kun esimerkiksi Välimeren syvyys on keskimäärin kaksi kilometriä ja valtamerien lähes viisi kilometriä. Pienen vesitilavuuden takia Itämeri altistuu herkästi erilaisille ympäristövaikutuksille. Mataluuden, vähäsuolaisuuden ja vuoroveden puuttumisen takia suuri osa Itämerestä myös jäätyy talvisin. Jääpeite ja veden kerrostuneisuus lisäävät omalta osaltaan meren pohjan happivajetta.

Itämeren rannikolla ja siihen laskevien jokien valuma-alueella asuu noin 70 miljoonaa ihmisiä, mikä ei voi olla jättämättä jälkiään mereen. Kansainväliset sopimukset ovat auttaneet Itämeren tilan parantamisessa, mutta esimerkiksi suuri öljyvahinko olisi hyvin haitallinen erityisesti Suomen runsassaarisella rannikolla.

the principal occupations are connected with tourism and the area is best known for its recreational opportunities and summer cottages. On the other hand, the sheer numbers of these cottages and the prevalence of small pleasure craft and other forms of transport are undoubtedly a strain on the susceptible natural environment of the area.

The vegetation of the archipelago varies greatly from one part to another. The outer islands are extremely barren, with only the occasional pine or rowan tree managing to take root alongside the lichens and rock plants, whereas the larger islands, especially that of Åland itself, are quite lush in place and have fresh herb-rich forests with a high species diversity, taking advantage of the generally mild maritime climate. Most of the grassy or wooded islands have been used for grazing livestock at some time or other, so that meadows, heaths and pastures are common. Åland in particular has relatively many well-preserved traditional landscapes.

The Baltic Sea is an exceptional body of water in many respects. It has a mean salinity of 0.7 percent, only a fifth of that of the world's oceans, largely on account of the rivers flowing into it, the drainage basins of which have a combined area equal to five times that of Finland. Sporadic pulses of highly saline water enter the Baltic basin through the Straits of Denmark, but its salinity declines practically to zero by the heads of the Gulf of Bothnia and Gulf of Finland.

The low salinity and cold climate together mean that the Baltic Sea has a very much narrower range of living organisms present in it than the oceans, its water being too saline for many freshwater creatures and too fresh for many sea-water ones. Likewise the vegetation on its shores and islands includes many typical lake species such as rushes and reeds.

Although the landscapes of the archipelago may be magnificent to look at, its underwater life has suffered considerably from pollution. The Baltic Sea is very susceptible to this, because of its small water volume, being extremely shallow for a sea, with a mean depth of only about 54 metres, whereas that of the Mediterranean Sea is two kilometres and that of the world's oceans almost five kilometres. The shallowness, low salinity and lack of tides also mean that most of the Baltic Sea freezes over in winter, which is apt to exacerbate the anoxic conditions prevailing on the sea bed, to which stratification and increased nutrient loading also contribute.

There are some 70 million people living on the coasts of the Baltic Sea or in the drainage basins of the rivers flowing into it, and this cannot fail to leave its mark on water quality. International agreements have led to a substantial improvement in its condition, but one large oil leak could be disastrous, especially for the dense network of islands on the Finnish coast.

Porvoon edustan Söderskär on yksi Suomen lähes 60 majakasta.
Söderskär, off Porvoo, one of about 60 lighthouses in Finland.

Utö on saariston eteläisin
ympärivuotisesti asuttu saari.
*Utö, the southernmost inhab-
ited island in the archipelago.*

Kevätesikoita Ahvenan-
maalla toukokuussa.
*Cowslips
on Åland in May.*

Varhaisen aamun joutsenia. Ahvenanmaa, Torpfjärden.
Swans in the early morning. Torpfjärden, Åland.

Tuuli ja veden liike ovat kuluttaneet rantaa hiljalleen. Hanko, Lappohja.
The shores have been gradually eroded by wind and wave action. Lappohja, Hanko.

Vesi jatkaa rantakivien hiomista, joka on usein alkanut jo jääkaudella.

Kuva vasemmalla Porkkala, syyskuu. Kuva yllä Dragsfjärd, Hammarsboda, elokuu.

The waves continue the work of polishing the rocks on the shore, which has been going on since the Ice Age.

Left: Porkkala in September. Above: Hammarsboda in Dragsfjärd in August.

Syysmyrsky näyttää voimiaan Porkkalassa.
Show of force by an autumn storm at Porkkala.

Talven tulo vaimentaa meren, ja ankarina talvina se jäätyy uloimpia luotoja myöten.
Calm returns to the sea as winter descends. The ice cover extends to the outer islands in colder winters.

Keskitalven kova pakkanen on muodostanut
kiteitä jään pinnalle. Porvoo, Tolkkinen.
*Crystals formed on the surface of the ice by the
severe frosts of midwinter. Tolkkinen, Porvoo.*

Maaseudun kulttuurimaisemia

Cultural landscapes in the countryside

Avoimet viljelymaisemat eli viljapellot, kylvönurmet sekä luonnonniityt ovat kulttuurimaiseman perusta. Viljelymaata Suomessa on nykyään noin 2,5 miljoonaa hehtaaria eli noin seitsemän prosenttia maamme pinta-alasta.

Maanviljelyä ja karjataloutta harjoitetaan Suomessa pohjoisinta Lappia eli Tenojoen rantoja myöten. Suomen viileä ilmasto suosii kuitenkin karjataloutta ja nurmen viljelyä, sillä leipäviljan tuotanto on nykyisin kannattavaa vain suotuisimmissa oloissa. Tuotannon kokonaisarvolla mitattuna lypsykarjatalous eli maitotuotanto on maatalouden merkittävin tuotantosuunta, ja sen osuus tuotosta on ollut viime vuosina lähes puolet.

Leipäviljan viljely on keskittynyt tuottavimmille alueille eli Etelä- ja Länsi-Suomen sekä Pohjanmaan viljaville savikkomaille. Eteläisessä Suomessa myös ilmasto on kohtalaisen suotuisa viljelylle. Suomessa keskimääräinen kasvukauden pituus on kuitenkin yli kaksi kuukautta lyhyempi kuin vaikkapa Keski-Euroopassa, ja siksi viljasadotkin jäävät Suomessa lähes puolta pienemmiksi.

Vehnä ja ruis ovat Suomen tärkeimmät leipäviljat. Kauraa ja ohraa tuotetaan pääasiassa eläinten rehuksi. Etelä-Suomessa viljellään paljon myös rypsiä, joka on maamme tärkein öljykasvi. Kaikkiaan Suomessa tunnetaan nykyisin noin 3 000 viljely- ja puutarhalajiketta. Maatalous on omalta osaltaan rikastuttanut luontoa, vaikka peltojen raivaus on aikoinaan supistanut metsiä ja vähentänyt monia eliölajeja näiltä alueilta. Etenkin perinteinen maatalous on suosinut monia kulttuuriympäristöissä viihtyviä kasveja ja eläimiä. Siksi perinneympäristöjen vaaliminen on tärkeää paitsi kauniiden maisemien myös lajien säilymisen kannalta.

Perinnemaisemilla tarkoitetaan rakennettuja perinnemaisemia sekä maaseudun aiempien maankäyttömuotojen, kuten niiton, laidunnuksen ja kaskeamisen, synnyttämiä perinnebiotooppeja. Niitä ovat esimerkiksi niityt, kedot, ahot, hakamaat, metsälaitumet ja kaskimetsät. Niitty on luonnonvaraista heinä- ja ruohokasvillisuutta kasvava puuton alue ja keto on kuivan tai kallioisen maan niitty. Ahoksi kutsutaan kaskimaalle syntynyttä niittyä, ja haka on puolestaan harvaa puustoa kasvava aidattu luonnonlaidun.

On arvioitu, että 1800-luvun lopulla maassamme oli niittyjä noin 1,6 miljoonaa hehtaaria. Nykyisin lähes kaikki viljelymaa Suomessa on kuitenkin peltoa, ja niittyjen osuus on vähentynyt hyvin pieneksi. Tätä nykyä niitä ja muita perinnebiotooppeja on Manner-Suomessa vain noin 25 000 hehtaaria eli noin sadasosa peltoalasta.

Fields, grasslands and meadows form the basis of the cultural landscape in rural areas. Finland nowadays has about 2.5 million hectares of cultivated land, about 7 percent of its total surface area. The climate favours grassland and livestock rearing, which are practised throughout the country, even in the northernmost parts of Lapland, i.e. on the banks of the Teno River, but grain crops are profitable nowadays under particularly propitious circumstances. Dairying is the most significant branch of agriculture in terms of the total value of production and has accounted for almost a half of the income from agriculture in recent years.

Grain cultivation has become concentrated in the south and west of the country and the fertile clay plains of Ostrobothnia. Although the climate in the south is reasonably favourable for agriculture, the mean length of the growing season is more than two months less than in Central Europe, for instance, so that grain yields remain at about a half of the figures achieved there. The main grains grown in Finland for human consumption are wheat and rye, while oats and barley are grown chiefly as animal feed. Rapeseed is also a common crop in the south and is the country's main source of vegetable oil.

About 3,000 species or strains of plants altogether are cultivated in fields or gardens, and although the clearing of the forests for agriculture reduced the species diversity of those areas, farming has in the long run enriched our environment. Traditional farming in particular has favoured many plants and animals that thrive in cultural environments, and for this reason, as well as for their inherent beauty, it is important to preserve traditional landscapes.

These traditional landscapes can be taken to include both rural buildings and traditional biotopes brought about by earlier rural forms of land use, such as the cutting of hay, grazing and burning over, i.e. meadows, forest clearings, pastures, grazed woodlands and former swiddens. A meadow is a treeless area which has a natural vegetation of grasses and/or herbs, and can sometimes be found on dry or rocky ground, while a forest clearing may be similar in appearance but created by man, often in connection with swidden cultivation. The pastures referred to here are fenced-in areas of natural pastureland that may have a sparse covering of trees.

Although it has been estimated that there were about 1.6 million hectares of meadows in Finland in the late 19th century, practically all the cultivated land nowadays consists of fields, and there are only some 25,000 hectares of meadows and other traditional biotopes on the mainland of Finland, equivalent to about one hundredth of the total field area.

Talviset olot hallitsevat suomalaisen maaseudun maisemaa ja elämää jopa yli puolet vuodesta. Posio, tammikuu.
The rural life and landscapes of Finland can be dominated by winter conditions for more than half the year in some places. Posio in January.

Perinnemaisemien arvostus on lisääntynyt jälleen, ja laiduntaminen on niiden tärkeimpiä hoitomuotoja. Parainen, Lenholm, heinäkuu.
A new interest has been shown recently in traditional landscapes, and the grazing of cattle is one of the best ways of preserving them. Lenholm, Pargas, in July.

Perinnemaisemat, kuten muutkin kulttuurimaisemat, vaativat säilyäkseen yleensä aktiivista hoitoa eli esimerkiksi laidunnusta, niittoa ja rakennusten kunnossapitoa. Ihmisten ja kotieläinten aikaansaamat maisemat säilyvät parhaiten jatkamalla sitä toimintaa, joka on ne synnyttänytkin. Usein maiseman hoito ja ylläpito tapahtuu luontevasti maatalouselinkeinon yhteydessä ilman erityisiä toimenpiteitä. Perinteisen luonnonsuojelun rinnalle on kuitenkin noussut myös perinnemaisemien aktiivinen suojelu, elvyttäminen ja hoito, joita myös Suomen valtio ja Euroopan unioni tukevat.

Perinnemaisemien vähenemisen ja maaseudun maisemallisen murroksen syyt juontuvat jo 1960-luvulta. Maatalouden koneellistuminen johti peltojen salaojittamiseen ja laajoihin yhtenäisiin viljelyaloihin. Perinteisen maatalouden niityt, avo-ojat, kiviaidat ja saarekkeet peltojen keskellä saivat vähitellen antaa tilaa tehokkuudelle. Tehostunut maatalous oli myös yksi syy laajaan muuttoliikkeeseen maalta kohti kaupunkeja, minkä seurauksena monet tilat autioituivat.

Suomen liittyminen Euroopan unioniin 1990-luvun puolivälissä toi maataloudelle ja maaseudulle lisää haasteita. Uudet tehokkuusvaatimukset nopeuttivat tilojen pinta-alan kasvattamista ja määrän vähenemistä. Silti suomalaiset maatilat ovat edelleen suhteellisen pieniä, sillä niiden keskipeltoala on tätä nykyä noin 30 hehtaaria. EU-jäsenyyden aikana maatalous on myös keskittynyt alueellisesti ja tuotanto on vähentynyt syrjäisimmillä seuduilla.

Aktiivisia maatiloja oli Suomessa 2000-luvun alussa noin 75 000, joista lähes 95 prosenttia on perheviljelmiä. Vaikka tilojen määrä on supistunut ja maataloudessa työskentelevien ihmisten määrä vähentynyt, maataloustuotanto on säilynyt lähes ennallaan.

Nykyisin suomalaiset maatilat ovat monilta osin pitkälle koneistettuja ja automatisoituja, mutta silti monissa työvaiheissa tarvitaan vielä fyysisiäkin ponnisteluja. Tilanpito ja vastuu korkealuokkaisista tuotteista ovat kunnia-asioita, joita vaalitaan sukupolvelta toiselle. Suomalaiset maataloustuotteet ja elintarvikkeet ovat kuuluisia puhtaudestaan, mikä on todettu lukuisin tutkimuksin.

Maanviljelyn ja karjatalouden aiheuttamaa vesistöjen ravinnekuormitusta on etenkin viime aikoina pyritty vähentämään muun muassa jättämällä jokien ja järvien rannoille suojavyöhykkeitä. Oikeaoppisesti tehtyinä ne ovat vähintään 15 metriä leveitä nurmialueita, jotka säilytetään kasvipeitteisinä ympäri vuoden. Suojavyöhykettä ei lannoiteta eikä siinä saa käyttää torjunta-aineita. Istuttamalla vyöhykkeelle puita tai suosimalla jo olemassa olevaa puustoa voidaan rantojen luonnon monimuotoisuuttakin lisätä entisestään.

Myös luonnonmukainen tuotanto on lisääntynyt Suomessa erityisesti viime vuosina ja sen osuus on edelleen kasvussa. Maataloudessakin on otettu monia askelia kohti entistä luonnollisempaa ja ympäristöystävällisempää tuotantoa, ja myös perinnemaisemien arvostus on lisääntynyt.

Traditional landscapes, like other cultural landscapes, need active management, i.e. grazing of the land, cutting of the hay and the upkeep of buildings, in order to preserve them intact. Landscapes brought about by human action can be looked after best by continuing with that action. This usually happens naturally though the continuation of farming, but it is also common nowadays to undertake active conservation, restoration and management of traditional landscapes, often with government and/or EU support.

The reasons for the decline in traditional landscapes and the change in the appearance of the countryside hark back to the 1960s, when the mechanization of farming led to the installation of field drains and the creation of broad, continuous expanses of field. The meadows, open ditches, stone walls and patches of uncultivated land surrounded by the fields that were features of traditional agriculture had to give way in the name of efficiency. This new attitude to farming was also one reason for the extensive migration away from the countryside into the towns, causing many farms to be abandoned.

New challenges to agriculture and rural areas have been posed by Finland's membership of the European Union from the mid-1990s onwards, as renewed demands for efficiency have caused an increase in farm size and a drastic reduction in their number. Even so, the farms are still relatively small, with an average field area of about 30 hectares. Farming has also become more concentrated geographically, and production has declined in the more peripheral areas.

Finland had about 75,000 active farms at the turn of the millennium, of which almost 95 percent were family concerns. In spite of declines in the number of farms and the number of people employed in farming, production has remained more or less unchanged.

Finnish farms are nowadays highly mechanized and automated, but physical effort is still called for at many stages in the work. Management of a farm and responsibility for high-quality products are matters of honour that are handed down from one generation to the next, and Finnish agriculture products and foodstuffs are renowned for their purity and hygiene, as has been demonstrated in numerous surveys.

Efforts have been made in more recent times to reduce the diffuse loading of the lakes and rivers with nutrients from agriculture, e.g. by creating buffer zones along the shores of rivers and lakes. Implemented correctly, these should be strips of grass at least 15 metres wide which are kept occupied by plants all the year round and should not be fertilized or treated with weedkillers or insecticides. The natural diversity of the shore vegetation can be increased further by planting trees in these zones or promoting the growth of the existing trees.

Organic farming has increased greatly in Finland in recent years, and considerable steps have been taken towards more natural and environment-friendly production conditions. At the same time, greater value has been placed on traditional landscapes.

Lounaissuomalaista kulttuuri-
maisemaa. Somero, Häntälä.
*Cultural landscape of Häntälä,
Somero, in southwestern Finland.*

87

Kotiseututalo Keskikankaan vanhaa pihapiiriä Pohjanmaalla, Lapuanjoen viljelylakeuden reunalla. Lapua, Kangas, heinäkuu.

Old farm buildings in the Keskikangas local museum at Kangas, on the edge of the agricultural plains of Lapua, Ostrobothnia, in July.

Rypsi on Suomen tärkein öljykasvi. Kirkkonummi, heinäkuu.
Rapeseed is the main oil plant grown in Finland. Kirkkonummi in July.

Peltosaunio eli saunakukka. Korppoo, heinäkuu.
The scentless mayweed, at Korppoo in July.

Rannoille jätetyt suojavyöhykkeet ovat hyvä keino vähentää maatalouden aiheuttamaa vesistöjen ravinnekuormitusta. Jyväskylän maalaiskunta, elokuu.

Buffer zones left uncultivated along the shores are a good way of reducing nutrient loading in lakes and rivers. Rural district of Jyväskylä in August.

Monen tie on vienyt maalta kohti kaupunkia. Lapua, heinäkuu.

Many people have made their way towards new life in the towns. Lapua in July. ▶

Havumetsien maa

Land of the taiga forests

Suomi on maailman metsäisimpiä valtioita, sillä yli kaksi kolmas-osaa maamme pinta-alasta on metsien peitossa. Kasvimaantie-teellisesti lähes koko Suomi on osa laajaa pohjoista havumet-sävyöhykettä, taigaa, joka kiertää leveänä alueena maapallon pohjoispuoliskoa. Sen kokonaispinta-alasta metsämme käsittävät kuitenkin vain noin yhden prosentin.

Suomessa kasvaa noin kolmekymmentä puulajia. Yleisimmät puut ovat mänty ja kuusi: yli puolet maamme metsistä on män-tyvaltaisia ja noin kolmasosa kuusivaltaisia. Näiden kahden havu-puun levinneisyys kattaa lähes koko Suomen pohjoisinta Lappia ja tunturiseutuja lukuun ottamatta. Männyn yleisyys johtuu pit-kälti sen menestymisestä Suomen karulla, kallioisella ja monin paikoin heikosti vettä pidättävällä hiekkaisella maankamaralla, josta männyn pitkä juuristo pystyy kuitenkin saamaan tarvitta-van veden. Kuusi on puolestaan levinnyt lukuisille kosteammille kasvupaikoille, koska varjossa viihtyvänä se kykenee valtaamaan vähitellen alaa muilta puulajeilta.

Käytännössä Suomen metsät ovat yleensä sekametsiä, joissa jokin puulaji on enemmän tai vähemmän vallitseva. Metsämaan laadun perusteella ne jaetaan tuoreisiin ja kuiviin kangasmetsiin sekä lehtoihin. Ne ovat kivennäismaiden metsätyyppejä – metsää voi kasvaa myös eloperäisillä mailla kuten soilla. Valtaosa Suomen metsistä on kangasmetsiä, sillä lehtoja on vain runsasravinteisim-milla paikoilla. Kasvualustan ravinteisuuden ilmaisee parhaiten kenttä- ja pohjakerroksen kasvillisuus, ja siihen perustuu myös tarkempi metsätyyppien jaottelu ja nimeäminen.

Vaikka lähes koko Suomi kuuluu samaan boreaaliseen havu-metsävyöhykkeeseen, kasvukauden pituus ja metsien kasvu vaih-televat maan etelä- ja pohjoisosien välillä huomattavasti. Etelässä puuston kasvu voi olla vuodessa kuusi kuutiometriä hehtaaria koh-den mutta Lapissa vain noin kaksi kuutiometriä. Ilmastoerojen ja suuren välimatkan takia esimerkiksi kuusesta on erilaistunut kaksi alalajia: etelässä kasvava euroopankuusi ja pohjoisessa esiintyvä siperiankuusi, jota kutsutaan myös kynttiläkuuseksi. Sen lyhyet, alaspäin suuntautuneet oksat ovat kehittyneet kestämään hyvin lumen painoa.

Metsät ovat Suomen tärkein ja jatkuvasti uudistuva luonnon-vara. Ne jaetaan usein talousmetsiin ja luonnontilaisiin metsiin. Talousmetsissä pyritään kasvattamaan raaka-ainetta metsäteolli-suuden tarpeisiin ja saamaan mahdollisimman hyvä kasvu niille puille, joita metsässä on tarkoitus suosia. Hakkuun jälkeen metsä uudistetaan joko luontaisesti tai viljellen.

Vielä 1950-luvulla puutavara kaadettiin käsin pokasahalla ja kuljetettiin hevosella tien tai uittoreitin varteen. Moottorisaha ja

Finland is one of the most heavily wooded countries in the world, with over two-thirds of its surface area covered by forest. Phyto-geographically, practically the whole country belongs to the vast boreal coniferous forest zone, or *taiga,* which forms a broad band round the Northern Hemisphere, although our forests account for only one percent of its total area.

About thirty tree species occur naturally in this country, the most ubiquitous being pine and spruce, since more than half of the forest area is pine-dominated and about a third spruce-domi-nated. Both species occur virtually throughout the country except for the extreme north of Lapland and the fells. The success of pine is attributable to its long roots, which enable it to survive in the barren, rocky or sandy soils of this country, which often have a poor water retention capacity. Spruce favours damper habitats and tolerates shade, so that it will gradually gain ground from other species in a forest.

In practice most of the forests in Finland are mixed forests with one or other species dominant. Forests growing on mineral soil are customarily divided into fresh and dry heath forests and herb-rich forests, of which the heath forests are by far the more com-mon, the herb-rich forests being confined only to the most fertile sites. Forest can also grow on organic soils, e. g. peatlands. The nu-trient status of a site can be expressed most conveniently in terms of the field layer and ground layer vegetation, and it is this method that is used to define a more precise system of forest types.

Although virtually the whole country falls into the same boreal coniferous forest zone, there are great differences in the length of the growing season and the extent of tree growth between its northern and southern parts. Tree growth, the annual increment, as it is called, may be as much as six cubic metres per hectare in the south, whereas it will be no more than two cubic metres in Lapland. The climatic differences and great size of the country in a north-south direction have also led to a physiological differ-ence in spruce populations, with the European spruce occurring in the south and the Siberian or candle spruce, possessing short, drooping branches that withstand the weight of the snow better, in the north.

The forests are Finland's most important renewable natural resource. It is common, however, to speak separately of com-mercial forests and natural forests, the former being intended to produce wood as an industrial raw material, so that they are managed with a view to obtaining maximum growth of the nec-essary species and replanted or allowed to regenerate naturally immediately after felling.

Kuusi ja mustikka viihtyvät talousmetsäksi harvennetussa tuoreessa kangasmetsässä. Nurmijärvi, kesäkuu.

Spruce trees and bilberry plants thrive in fresh heath forests thinned for timber production. Nurmijärvi in June.

Vaikka Suomessa valtaosa puunkorjuusta tehdään huippunykyaikaisin monitoimikonein, ovat omatoiminen metsänhoito, kuten puuston harvennukset, sekä muu metsässä vietetty aika edelleen tärkeitä monille yksityisille metsänomistajille. Kotitarvemetsurit kahvitauolla.
Although lumbering is mostly done with highly mechanized harvesters nowadays, many people are still happy to spend time on thinning and other work in the forests that they own. A coffee break while cutting firewood.

traktori tehostivat puun korjuuta 1960-luvulta alkaen, ja ensimmäiset harvesterit eli monitoimikoneet kehitettiin 1970-luvulla. Nykyisin Suomi on maailman johtava metsäkoneiden valmistaja ja uusimpien koneiden suunnittelussa on panostettu erityisesti niiden ympäristöystävällisyyteen, jotta vaikutus maapohjaan ja aluskasvillisuuteen olisi mahdollisimman pieni.

Suomen metsistä valtaosa on syntynyt ja uudistunut luontaisesti, ja se on myös metsänhoidon tavoite nykyisin. Puuntuotannon rinnalla pyritään siihen, että hakkuut muuttaisivat maisemaa mahdollisimman vähän. Lisäksi tavoite on säästää arvokkaita elinympäristöjä ja jättää metsään lahopuita. Myös vuoden 1997 metsälaki pyrkii huomioimaan luonnon monimuotoisuuden säilyttämisen kaikissa talousmetsissä. Kaikesta huolimatta metsätalous yksipuolistaa lajistoa, ja siksi on tärkeä vaalia myös luonnontilaisia metsiä.

Vuosisatoja ihmiskäden koskematta olleet luonnontilaiset aarniometsät ja niihin perustetut suojelualueet ovat monien uhanalaisten lajien tärkeitä elinympäristöjä. Vanhat metsät sisältävät runsaasti eri puulajeja ja kaikenikäisiä puita, joista osa on jo pitkälle lahonneita ja maatuneita liekopuita. Aarniometsien kasvi- ja eläinlajisto on runsas ja monipuolinen, ja siksi niiden säilyttäminen on tärkeää etenkin Etelä-Suomessa, missä ikimetsiä on enää kovin vähän.

Metsät eivät ole pelkästään puita, aluskasveja ja muita eliölajeja, vaan niillä on myös olennainen sosiaalinen ja ekologinen merkitys. Ne ovat tärkeitä muun muassa monenlaisen virkistyskäytön takia, ja esimerkiksi marjastus, sienestys ja luonnossa liikkuminen ovat Suomessa jokamiehenoikeuksia ja perua vanhasta keräilytaloudesta. Runsaita marjasatoja saadaan sekä talous- että luonnonmetsistä; hyvänä marjavuotena metsämarjoja poimitaan maassamme arviolta 40 miljoonaa kiloa. Siitä noin puolet on puolukkaa, joka on tärkein kotitalouspoiminnan ja kaupan metsämarja. Hyvillä paikoilla Etelä- ja Keski-Suomen kuivissa kangasmetsissä puolukkasato on jopa yli 300 kiloa hehtaarilta.

Metsien merkitys on suuri myös viime vuosien tärkeän puheenaiheen ilmastonmuutoksen eli maapallon keskilämpötilan nousun kannalta. On arvioitu, että ilmaston lämpenemisestä jopa noin puolet johtuu hiilidioksidin lisääntymisestä ilmakehässä. Puiden kasvu ja metsämaa sitovat ilmakehästä hiiltä, joka sitoutuu metsän ekosysteemiin. Hakkuidenkin jälkeen puusta valmistetut tuotteet jatkavat hiilen varastointia yleensä pitkään – eli kunnes esimerkiksi puu poltetaan ja hiilidioksidia vapautuu taas ilmakehään.

Öljyn, kivihiilen ja muiden kauan sitten sitoutuneiden fossiilisten energiavarastojen polttaminen lisää hiilidioksidin määrää ilmakehässä jatkuvasti. Uusiutumattomina polttoaineina ne eivät kuitenkaan sido hiiltä, vaan ainoastaan lisäävät hiilidioksidin määrää. Siksi suhteellisen nopeasti kasvavat ja uudistuvat hiilivarastot, kuten metsät, ovat erityisen tärkeitä ilmastonmuutoksen torjumisessa. Metsämaa ja puut ovat Suomen luonnon suurimpia hiilivarastoja soiden turvekerrostumien jälkeen. Niiden lisäksi hiiltä on varastoitunut paljon järvien ja lampien pohjan sedimenttiin.

In the 1950s timber was still cut with a frame-saw and pulled to the roadside or river bank by horses. Lumbering became more efficient with the introduction of chain-saws and tractors in the early 1960s, and the first harvesters were developed in the 1970s. Finland now leads the world in harvester construction, the most modern ones being ecologically designed to cause minimal damage to the soil and lower vegetation.

The majority of the Finnish forests have originated or regenerated naturally, and this is the aim in modern forestry. Another consideration is that felling should leave as few scars on the landscape as possible, and that valuable natural habitats should be spared and sufficient decaying trunks be left in the forests. In these ways the Forestry Law of 1997 attempts to allow for the preservation of biodiversity in all commercial forests, although it cannot be denied that forestry leads to impoverishment of the flora and fauna, so that it is essential that other forests should be set aside for preservation in a natural state.

The ancient forests that have been spared from human interference for many centuries, and especially the conservation areas set up in these, contain essential habitats for many endangered species. They usually have a wider range of tree species, and inevitably a wider age range, including trees in various stages of decay. Also they have a more extensive fauna and flora. It is therefore important that these should continue to be protected, especially in the south of Finland, where ancient forests are becoming a rarity.

But forests are not merely collections of trees and other organisms; they have important social and ecological roles to play. In particular, they offer opportunities for recreation, e.g. walking and the picking of berries and mushrooms, which are permitted in Finland under the age-old Right of Common Access, a remnant of the hunting, fishing and gathering way of life of earlier centuries. Large quantities of wild berries are obtained from both the commercial and natural forests, an estimated 40 million kilogrammes in a good year, of which about half are red whortleberries, or lingonberries, which can yield more than 300 kilogrammes per hectare in the dry heath forests of Southern and Central Finland, for instance.

The forests are also of importance for countering the imminent rise in mean temperatures throughout the world, of which there has been so much talk recently. About a half of this effect is probably caused by increased carbon dioxide in the air, and tree growth and forest ecosystems as a whole are known to be efficient binders of carbon. After felling, the products manufactured out of the timber continue to serve as carbon "sinks" until such time as they are burned, for instance, whereupon carbon dioxide is released into the atmosphere once more. Non-renewable sources of energy such as oil, coal and other fossil fuels serve only to increase atmospheric carbon dioxide without binding any carbon, and it is for this reason that the forests are so important, for after the mires, they are the largest natural carbon sinks in the Finnish environment. In addition, substantial amounts of carbon are stored in the bottom sediments of lakes.

Sinivuokot puhkeavat kukkaan pian lumien sulamisen jälkeen. Hyvinkää, Kytäjä, huhtikuu.
Hepatica flowers appear soon after the snow has melted. Kytäjä, Hyvinkää, in April.

Luonnontilaista vanhaa kuusimetsää
Pyhä-Häkin kansallispuistossa Saarijärvellä.
An ancient spruce forest in a natural state,
Pyhä-Häkki National Park, Saarijärvi.

Muutaman senttimetrin korkuinen nuokkuvarstasammal on yleinen mutta huomaamaton metsien asukas.

The pendulous thread moss is a common but inconspicuous inhabitant of the Finnish forests, being only a few centimetres high.

Metsien virkistyskäyttö ja luonnonantimien keruu ovat Suomessa jokamiehenoikeuksia. Kuva yllä: Inari, Hammastunturin erämaa. Kuva oikealla: Nurmijärvi, Korpi. Seuraavan aukeaman puolukat: Kuhmoinen, Isojärvi.
The Right of Common Access allows anyone to use the forests for walking and gathering berries and mushrooms.
Above: Hammastunturi, Inari. Right: Korpi, Nurmijärvi. Next page: Cowberries at Isojärvi, Kuhmoinen.

Vesistöjen ja soiden Suomi

Lakes, rivers and peatlands

Korkealta nähty järvimaisema ja siihen olennaisesti kuuluvien kalliorantojen, metsäisten saarien ja harjuselänteiden mosaiikki on ehkä suomalaisinta maisemaa. Suomen pinta-alasta noin kymmenesosa on järvien ja jokien peitossa, ja Suomi on maailman runsasjärvisimpiä maita. Yli hehtaarin kokoisia järviä on maassamme noin 56 000 ja tätä pienempiä lampia lähes kolminkertaisesti.

Suurin osa järvistä on keskittynyt Järvi-Suomen alueelle, missä vesistöjen osuus saattaa paikoin olla yli puoletkin pinta-alasta. Järvi-Suomi alkaa heti Salpausselkien pohjoispuolelta, Lahden ja Hämeenlinnan tasolta, ja jatkuu leveänä alueena aina Pieliselle asti. Alue on suuri, esimerkiksi noin viisi kertaa suurempi kuin Saaristomeri.

Suomen järvet ovat matalia, sillä niiden keskisyvyys on vain noin seitsemän metriä. Suurin syvyys, 95 metriä, on mitattu Päijänteestä. Mataluuden takia järvien kokonaisvesimäärä on pieni, ja yhdessä ne täyttäisivät esimerkiksi Laatokasta vain neljäsosan. Järvien pienuuden ja sokkeloisuuden takia niillä on kuitenkin suhteellisen paljon rantaviivaa. Kaikkien järviemme rantaviivan yhteispituudeksi onkin arvioitu lähes 200 000 kilometriä, kun sama vesimäärä yhdessä pyöreässä järvialtaassa antaisi rannan pituudeksi vain noin 650 kilometriä.

Maamme järvien ja vesistöjen veden laatu on pääasiassa hyvä tai erinomainen. Ravinteisuuden perusteella ne voidaan jakaa eriasteisiin karuihin ja reheviin vesistöihin. Järvistä noin kaksi kolmasosaa on karuja ja noin kymmenesosa on selvästi runsasravinteisia.

Järvi-Suomessa sekä Lapissa ja muuallakin, missä maaperä on moreenia tai soraa, vesistöt ovat tavallisesti karuja ja kirkasvetisiä. Erityisesti Lapin järvet ja joet ovat tunnettuja puhtaudestaan. Suuret joet virtaavat siellä yleensä vanhoissa laaksoissa, jotka ovat syntyneet jo ennen viimeistä jääkautta. Soistuneilla alueilla ja niiden lähettyvillä saattaa vesistöjen humuspitoisuus olla kuitenkin korkeahko, ja siksi niiden veden väri on lievästi ruskehtava.

Etelä- ja Länsi-Suomessa sekä Pohjanmaan savimailla järvet ja joet ovat maaperän takia usein sameavetisiä ja luontaisesti reheviä. Suomalaisten järvien rehevöitymisherkkyyteen vaikuttaa niiden mataluus, ja sitä voivat lisätä myös maa- ja metsätalouden, teollisuuden tai asutuksen aiheuttama ravinnekuormitus.

Suomi on myös soiden maa, sillä niiden osuus maa-alasta on maassamme suurempi kuin missään muussa valtiossa. Laajimmillaan Suomessa on ollut suota noin 10 miljoonaa hehtaaria eli lähes kolmannes maamme pinta-alasta. Luonnontilaisten soiden määrää ovat kuitenkin vähentäneet esimerkiksi niiden

A distant view of lakes and the mosaic of rocky shores, forested islands and esker ridges that inevitably accompany them is perhaps the most typical Finnish landscape. About a tenth of the surface area is occupied by lakes and rivers, giving Finland the highest density of lakes of any country in the world. It has altogether about 56,000 lakes of over one hectare in size and about three times this number of smaller ones of less than one hectare.

The majority of the lakes are concentrated in the region known as the Lake District, where they can account for over a half of the surface area in places. This region begins immediately north of the Salpausselkä formations, at the latitude of Lahti and Hämeenlinna, and occupies a broad area that continues as far as Lake Pielinen. It is thus a region of considerable size, about five times larger than the Archipelago Sea.

The Finnish lakes are in general shallow, with a mean depth of only about 7 metres and a maximum depth of 95 metres, measured in Lake Päijänne. This means that the total volume of water in them is relatively small, equivalent to only one fourth of that in Lake Ladoga, for instance. Their small size and labyrinthine outlines nevertheless give them a substantial length of shoreline, almost 200,000 kilometres, whereas a single circular lake containing the same volume of water would have only about 650 kilometres of shore.

Water quality in the lakes and rivers of Finland is mostly good or excellent. In terms of nutrient status, about two-thirds of the lakes are oligotrophic and about a tenth are markedly eutrophic. Those in the Lake Region, Lapland and other places with till or gravel soils are usually oligotrophic, with clear water, and the lakes and rivers of Lapland in particular are noted for the purity of their water.

Most of the great rivers of Lapland flow through ancient bedrock valleys that date from pre-glacial times. In and around peatland areas, however, the water tends to have a high humus content and thus to be brownish in colour. The lakes and rivers of Southern and Western Finland and of Ostrobothnia usually have turbid, naturally eutrophic water, on account of the nature of the soils. Being shallow, the Finnish lakes are also susceptible to eutrophication in response to nutrient loading from agriculture, forestry, industry or community waste.

Finland is also a land of mires, which account for a higher proportion of its land area than in any other country in the world. At their maximum, they amounted to about 10 million hectares, or almost a third of the total surface area, but they have now been reduced in extent by clearance for agriculture, drainage to pro-

Järvien runsaus on itäisen Suomen olennainen tunnusmerkki, ja Saimaa on suurin maamme järvistä.
Yli 10 000 osallistujan Sulkavan Suursoudut on Järvi-Suomen merkittävimpiä kesätapahtumia. Sulkava, Linnavuori.
The abundance of lakes is one outstanding feature of the Finnish landscape, and Saimaa is the largest lake of all.
The Rowing Festival at Sulkava is one of the major summer events in the Lake District, attracting over 10,000 participants. Linnavuori, Sulkava.

raivaus pelloiksi, kuivatus metsämaaksi sekä käyttö poltto- ja kasvuturpeen tuotantoon. Nykyisin täysin luonnontilaisia soita on jäljellä noin yksi kolmasosa alkuperäisestä määrästä. Eniten soita on Pohjois-Pohjanmaalla ja Lapin etelä- ja keskiosissa, joissa yli puolet pinta-alasta on edelleenkin suota.

Suot voidaan ryhmitellä jopa yli sataan erilaiseen tyyppiin niiden kasvillisuuden, puuston, ravinteisuuden ja märkyyden perusteella. Puuston kannalta erilaisia soita ovat esimerkiksi kuusikkoiset korvet, kituliaita mäntyjä kasvavat rämeet tai puuttomat nevat ja letot.

Yksittäinen suo edustaa vain harvoin yhtä suotyyppiä, vaan se koostuu monen suotyypin muodostamasta kokonaisuudesta, suoyhdistymästä. Suomessa voidaan erottaa kaksi suoyhdistymätyyppiä, joista keidassuot ovat tyypillisiä eteläisessä Suomessa ja aapasuot maan keski- ja pohjoisosissa. Lisäksi Lapissa on palsasoita, joissa turpeen alle kehittyneet ikiroutaiset jäälinssit ovat synnyttäneet jopa useita metrejä korkeita turvekumpuja.

Yli puolet Suomen soista on syntynyt metsämaan soistumisen seurauksena. Vesistöjen hidas umpeenkasvu on ollut toiseksi merkittävin soistumistapa. Länsi-Suomessa ja Pohjanmaalla yleinen soiden syntymekanismi on ollut myös merestä maankohoamisen takia nousseen maan soistuminen. Ehkä yllättävää on, että yli puolet metsämaan soistumisista on alkanut metsäpalon seurauksena. Kun suuret puut ovat kuolleet palossa, veden haihdunta maaperästä on vähentynyt niin paljon, että soistuminen on alkanut.

Soiden kasviyhdyskunnat muodostavat itse oman kasvualustansa, turpeen, joka on Suomen yleisin eloperäinen maalaji. Tärkeitä turpeen muodostajia ovat rahkasammalet, joita on noin 40 lajia – sammalia kasvaa Suomessa kaikkiaan noin 800 lajia. Turvetta kerrostuu keskimäärin vain noin yksi millimetri vuodessa. Siksi suot ja turve vaikuttavat hyvin hitaasti uusiutuvalta luonnonvaralta. Soiden suuren pinta-alan takia niiden vuotuinen tilavuuskasvu on kuitenkin yllättävän suuri ja turvetta voidaan pitää jopa lähes puuhun verrattavana energialähteenä.

Suomessa soiden turvekerroksen paksuus on keskimäärin noin puolitoista metriä. Paksuimmillaan turvetta on esimerkiksi arvokkaan ja suojellun Tammelan Torronsuon vanhimmissa, noin 8 500 vuoden ikäisissä osissa yli 12 metriä. Vanhat turvekerrostumat ovat säilyneet hapettomassa tilassa hyvin. Siksi soiden ja vesistöjen pohjalle muodostuneet kerrostumat ja etenkin niissä olevat siitepölyhiukkaset ovat antaneet tutkijoille merkittävää tietoa elollisen luonnon ja ilmasto-olojen kehityksestä jääkauden jälkeen. Turpeella ja vesistöjen sedimentillä on myös tärkeä tehtävä luonnon merkittävänä hiilivarastona ja ilmakehän hiilidioksidinieluna.

mote forest growth and the extraction of peat for use as a fuel or for soil improvement. Only about one third of the original area of peatlands is still in an entirely natural state. Their highest incidence nowadays is in Northern Ostrobothnia and the southern and central parts of Lapland, where they account for over a half of the surface area.

Over a hundred mire types can be recognised in terms of their vegetation, trees, nutrient status and wetness, the main types defined by tree species being spruce mires, pine bogs and treeless open bogs or rich fens. A mire will seldom represent a single type, however, but will tend to be a complex of several types. Two basic forms of complex exist in Finland, the raised bogs typical of the south of the country and the *aapa* mires common in the central and northern parts. There are also *palsas* to be found in Lapland, peat mounds accumulated by lenses of permafrost, which may be regarded as a special case of an *aapa* mire.

More than half of Finland's mires are the result of paludification of forest land, while the other significant mode of formation is the filling in of lake basins with vegetation. A further cause on the coasts of Western Finland and Ostrobothnia is land uplift. One surprising fact is that over half of the instances of paludification of forest land have been precipitated by forest fires. With the destruction of the large trees, evaporation from the ground surface declines to such an extent that the soil becomes waterlogged and a mire develops.

One characteristic of a mire is that the plant communities form the soil in which they grow, the peat. This is the most common organic soil in Finland, and is mainly composed of Sphagnum mosses, a genus that accounts for about 40 out of the almost 800 moss species to be found in this country. Peat accumulates at a rate of only about one millimetre a year, but the vast area of mires means that the annual increase in volume is surprisingly large, so that peat can be ranked alongside wood as a renewable source of energy.

The mean depth of peat in the mires of Finland is about 1.5 metres, and the maximum depth ever observed is something over 12 metres, in the 8,500-year-old protected mire of Torronsuo in Tammela. Old peat layers remain in a good state of preservation on account of their anaerobic state, and thus the material deposited in mires and on river beds and lake bottoms, and particularly the grains of pollen contained in it, can provide scientists with significant information on natural phenomena and climatic conditions at various points in post-glacial time. Both peatlands and river and lake sediments are also of significance as natural reserves of carbon and atmospheric carbon dioxide sinks.

Korpikarhunsammal on ensimmäisiä metsämaan soistumisen osoittajia, ja se muodostaa korpisoilla komeita mättäitä.
The common hair moss is one of the first indicators of paludification in forests and forms fine hummocks on spruce mires.

Vesimittarit uhmaavat painovoimaa pintajännityksen avulla. Pinnan alle vajonnut sedimentti on tärkeä luonnon hiilivarasto. Espoo, Luukki.
The water strider defies gravity thanks to surface tension. The bottom sediment is a major reserve of natural carbon. Luukki, Espoo. ▶

Päijänne on Saimaan ohella edus-
tavinta Järvi-Suomea. Korpilahti.
*Lake Päijänne is another magnifi-
cent waterway system. Korpilahti.*

115

Kaakkureita ja kalliokiipeilijöitä
Repoveden kansallispuistossa.
Valkeala, Olhavan lampi.
*Red-throated divers and rock
climbers in the Repovesi
National Park, Valkeala.*

◄ Loppukesän varhainen aamu Tammelan Torronsuolla, missä vanhimmat turvekerrokset ovat jopa yli 12 metriä paksuja.
Early morning on a late summer's day on the mire of Torronsuo in Tammela, where the oldest peat deposits are more than 12 metres deep.

Ankarinkaan pakkanen ei pysäytä kaikkea veden liikettä. Kitkajoen Kiveskoski Kuusamossa pysyy avoimena jopa 35 asteen pakkasessa.
Not even the most severe frosts can stop the flow of water entirely. The rapids of Kiveskoski on the River Kitkajoki in Kuusamo remain open below −35° C.

Lehtoja
ja lehtipuita

Woodlands and
broad-leafed trees

Lehdot ovat kangasmetsien ohella suomalaisten metsätyyppien toinen pääryhmä. Maamme pohjoinen sijainti ja pääasiassa karu maaperä suosii kuitenkin havupuita ja kangasmetsiä. Yleisimmät lehtipuumme hies- ja rauduskoivu ovat selvästi mäntyä ja kuusta vähälukuisempia. Melko epäedullisista oloista huolimatta myös monet jalot lehtipuut ovat sopeutuneet Suomeen ja reheviä lehtojakin on mahdollista löytää maan kaikista osista aina Lappia myöten.

Suomen nykyiset lehdot ovat vaatimattomia jäänteitä niiltä ajoilta, jolloin lehtometsät olivat meillä paljon yleisempiä. Niiden pinta-ala on nykyään vain alle yksi prosentti metsämaan alasta, koska paljon viljavia lehtometsiä raivattiin aikoinaan maanviljelyn tarpeisiin. Lisäksi pyhiä tammistoja ja uhrilehtoja eli hiisiä hävitettiin keskiajalta aina 1800-luvulle, koska niitä pidettiin pakanallisina paikkoina.

Lehdon ja kangasmetsän olennaisin ero on niiden maaperässä. Lehdoissa maan runsasravinteisuus mahdollistaa rehevän kasvillisuuden. Lehtomaalle ominainen kuohkea multa syntyy, kun maan pintakerroksen eloperäiset ainekset sekoittuvat yleensä kalkkipitoiseen kivennäismaahan erilaisten karikkeen hajottajien ansiosta. Lisäksi lehdolle usein tyypillinen savinen maaperä pidättää tehokkaasti ravinteita, joiden huuhtoutuminen on vähäistä verrattuna vaikkapa hiekkaisiin harjuihin. Rehevää lehtokasvillisuutta on etenkin vesistöjen varsilla, puronotkoissa ja lähteikköjen äärellä. Tällaisen paikan lajisto voi olla todella runsas, koska viljelyyn kelpaamaton kivikkoinen purolehto on saattanut olla luonnontilainen hyvin pitkään.

Lehtometsän puusto voi olla miltei mitä tahansa lajia, mutta lehtipuiden osuus on lehdoissa kuitenkin suurempi kuin kangasmetsissä. Lehdolla ei tarkoiteta ainoastaan tyylikästä jalojen lehtipuiden komistamaa metsäsaareketta, vaikka sellainen on ehkä lehtoa parhaimmillaan. Suuri osa Suomen lehdoista onkin kuusivaltaisia, sillä varjossa hyvin menestyvä kuusi valtaa vähitellen tilaa muilta puilta ja tukahduttaa ajan kuluessa myös lehdon aluskasvillisuutta. Toisaalta on myös monia koivikoita ja lepikoita, jotka eivät ole lehtoja maaperän karuuden ja aluskasvillisuuden vaatimattomuuden takia.

Pääosa Suomen nykyisistä lehtometsistä – kuten myös eläinten laidunnuksen ansiosta syntyneistä hakamaalehdoista – on Lounais-Suomen ja Ahvenanmaan tammivyöhykkeellä. Siellä toteutuvat parhaiten lehtojen olemassaolon edellytykset: leudot talvet, pitkät kesät ja etenkin ravinteikas maaperä. Etelärannikon lisäksi lehtokasvillisuuden suosimaa maata on lisäksi niin sanotuissa lehtokeskuksissa Etelä-Hämeessä ja Pohjois-Savossa,

The fresh herb-rich forests form the other main forest type to be found in Finland alongside the heath forests, although the country's northerly location and barren soils tend to favour the latter and conifers in general. Thus the most common broad-leafed tree, the birch, is distinctly less prominent in the Finnish landscape than either pine or spruce. Many of the more southerly, "noble" deciduous species have also adapted to the somewhat unfavourable conditions, however, and fairly lush woodlands can be found in most parts of the country, as far north as the Lapland.

The fresh herb-rich forests of today are modest remnants of former times when such a vegetation was far more common, and they are now restricted to less than 1 percent of the total area of forest land, as many of them were cleared so that their fertile soils could be used for agriculture. Some oak groves that had served as primitive sacrificial sites were also destroyed from the Middle Ages up to the 19th century, as they were considered to belong to a heathen cult.

The essential difference between a herb-rich forest and a heath forest lies in the soil, which in the former type is light and rich in nutrients as the surface litter is effectively mixed in with the usually calcareous mineral soil by vigorous microbial action. Similarly clay soils typical of herb-rich forests will retain nutrients efficiently, whereas these will easily be leached out of the sandy soil of an esker. A lush herb-rich vegetation is often to be found beside rivers or lakes, in gullies occupied by streams or close to springs, and such places may have an exceptionally rich flora, especially since they may have been in a natural state for a very long time.

The trees in such a forest may in principle be of almost any species, although the proportion of broad-leafed trees is characteristically higher than in heath forests. A herb-rich forest may not necessarily be a classic glade of rare deciduous trees, and in practice it must be said that the majority are spruce-dominated, as this species will thrive in the shadow of other trees and gradually gain ground from them and shade out the lush undergrowth. On the other hand, there are many birch or alder woodlands that cannot be placed in the herb-rich category because of their poor soils and modest ground vegetation.

The majority of the true herb-rich forests of Finland – and also rich grazed forests brought about by the pasturing of livestock – are to be found nowadays in the "oak zone" of South-Western Finland and Åland, as conditions are most favourable there: mild winters, long summers and above all fertile soils. There are also many suitable sites in Southern Häme and Northern Savo, however, and some excellent forests of this type still occur as far

Koivumetsät ovat yleisimpiä Itä-Suomen entisillä kaskikulttuurialueilla. Lieksa, tammikuu.
Birch forests are most common in the former swidden cultivation areas in Eastern Finland. Lieksa in January.

Yöpakkasen synnyttämä kuura varisee hiljalleen kevättalvisen päivän lämmössä. Koivun jäiset silmut odottavat jo kevättä. Kuusamo, maaliskuu.
The rime from a night frost gradually melts in the warmth of a late winter day. The frozen birch buds are waiting for spring. Kuusamo in March.

mutta myös selvästi pohjoisempana, muun muassa Kainuussa, Kuusamossa ja Kittilässä.

Pohjois-Suomen lehtokeskukset ja yksittäiset lehdot ovat mielenkiintoisia ja välillä yllättäviäkin tunturien, vaarojen ja karujen rakkakivikoiden vastakohtia. Esimerkiksi Saanatunturin suojaisalla juurella on hyvin rehevä tunturikoivua kasvava lehto, jonka vaativa kasvillisuus ammentaa voimansa tunturin rinteiltä valuvista kalkkipitoisista lähdepuroista ja sulamisvesistä.

Suomen metsistä lehtipuuvaltaisia on nykyisin noin kymmenesosa. Yleisimpiä lehtimetsät ovat Itä-Suomen entisillä kaskikulttuurialueilla. Laajat yhtenäiset koivikot eivät ole Suomessa kovin yleisiä, koska havumetsät syrjäyttävät ne ajan mittaan luonnollisen kehityksen seurauksena.

Suomalaisia koivupuita hies- ja rauduskoivuja kasvaa nykyisin koko maassa pohjoisinta Lappia lukuun ottamatta. Siellä, tunturien rinteilläkin, menestyvä yleensä vain muutaman metrin korkuinen tunturikoivu on hieskoivun alalaji. Hieskoivun hyvä tuntomerkki on vaalea ja sileä tyvi, jossa on vaakasuoria ohuita juovia. Rauduskoivulle puolestaan kehittyy tumma, pitkittäisuurteiseksi kaarnoittuva tyvi. Valkorunkoiset koivut ovat olennainen osa suomalaista maisemaa, ja rauduskoivu on valittu myös Suomen kansallispuuksi.

Koivujen lisäksi Suomen yleisimpiä lehtipuita ovat haapa, pihlaja sekä terva- ja harmaaleppä. Jaloista lehtipuista Suomessa kasvaa tätä nykyä muun muassa tammi, saarni, vaahtera, metsälehmus, kynäjalava, vuorijalava sekä pähkinäpensas. Metsälehmus eli niinipuu on pohjoisimmaksi levinnyt jalopuumme, vaikka luontaisverona kannettu niinivero vähensikin sen määrää huomattavasti 1600-luvulle asti. Järeät vanhat lehtipuut, kuten tammi, haapa ja raita, ovat sekä elävinä että kuolleina monen uhanalaisen lajin tärkeitä elinympäristöjä, ja etenkin monet vanhat tammet ovat rauhoitettuja.

Avoimella paikalla tammi on miltei aina leveälatvainen ja paksurunkoinen, mutta metsästä voi löytää valosta kilpailevan hoikan, suoran ja pitkän yksilön. Suoria puita on aikoinaan käytetty paljon laivanrakennukseen ja rakennusten paaluperustuksiin, ja siksi sellaiset puut ovat nykyisin varsin harvinaisia. Tammen hidaskasvuisuuden takia ei uusiakaan suoria puita juuri ole tulossa – etenkin kun lähes kaikki nykyiset siemenpuut ovat sukujuuriltaan leveälatvaisia.

Tammella on tukeva pääjuuri, minkä ansiosta se kestää hyvin myrskyjä. Suotuisissa oloissa se voi saavuttaa jopa 2 000 vuoden iän, mutta Suomen vanhimmat yksilöt ovat "vain" noin 400-vuotiaita. Tammen luontainen levinneisyysalue rajoittuu maassamme nykyisin Ahvenanmaalle ja osaan Lounais-Suomea ja Uuttamaata. Istutettuna se menestyy kuitenkin selvästi pohjoisempana. Suomen tunnetuimmat ja laajimmat tammimetsät ovat tätä nykyä Turun Ruissalossa, missä tammia kasvaa noin 300 hehtaarin alueella.

north as Kuusamo and Kittilä. The northern examples provide interesting and sometimes surprising contrasts to the hills, fells and barren stony screes that are more typical of the region. There is a very lush grove of mountain birches in a sheltered spot at the foot of the fell of Saana, for example, where a highly demanding vegetation gains its strength from the calcareous mountain streams and the meltwater from the snow.

About a tenth of the total area of forest in Finland is dominated by broad-leafed trees nowadays, the proportion being highest in the east, on account of the former swidden culture. Extensive uninterrupted tracts of deciduous forest are rare, however, as the conifers inevitably take over as part of the natural forest succession.

The two principal species of birch in Finland, the downy birch and silver birch, occur throughout the country except for the far north of Lapland, where the mountain birch prevails, a subspecies of the downy birch, that is only a few metres high. The downy birch can be recognised from the smooth white bark on its base with thin horizontal veins, while the base of the silver birch has a darker bark with vertical veins. The white birch trunks are an essential feature of the Finnish landscape, and the silver birch has been selected as the national tree.

Other common broad-leafed trees in the Finnish forests are aspen, rowan and the black and grey alders. Of the "noble" deciduous species, the oak, ash, maple, lime, European white elm, wych elm and hazel are known to grow in the wild. The lime, or bast tree, grows furthest north, although its numbers were reduced greatly by the levying of a bast tax in the 17th century. Sturdy old broad-leafed trees such as oaks, aspens and sallows, both living and dead, provide habitats for numerous endangered species, and many old oaks in particular have been listed for conservation.

Although an oak growing on its own will almost always develop a broad crown and thick trunk, tall, slender, straight individuals can be found in the forests if they have to compete for light. These straight trees were in great demand at one time as shipbuilding or housebuilding timbers, and they are therefore fairly rare nowadays. New straight specimens grow slowly, and in any case most of the present-day seed trees are of the broad-crowned variety.

The oak has a strong tap root which helps it to resist storm damage, and it can reach ages of up to 2,000 years under favourable conditions. The oldest known examples in Finland are "only" about 400 years old, however. Its natural distribution in this country is restricted to Åland and parts of South-Western Finland and Uusimaa, but planted individuals can survive very much further north. The largest and best-known oak forests nowadays are those of Ruissalo in Turku, which cover an area of about 300 hectares.

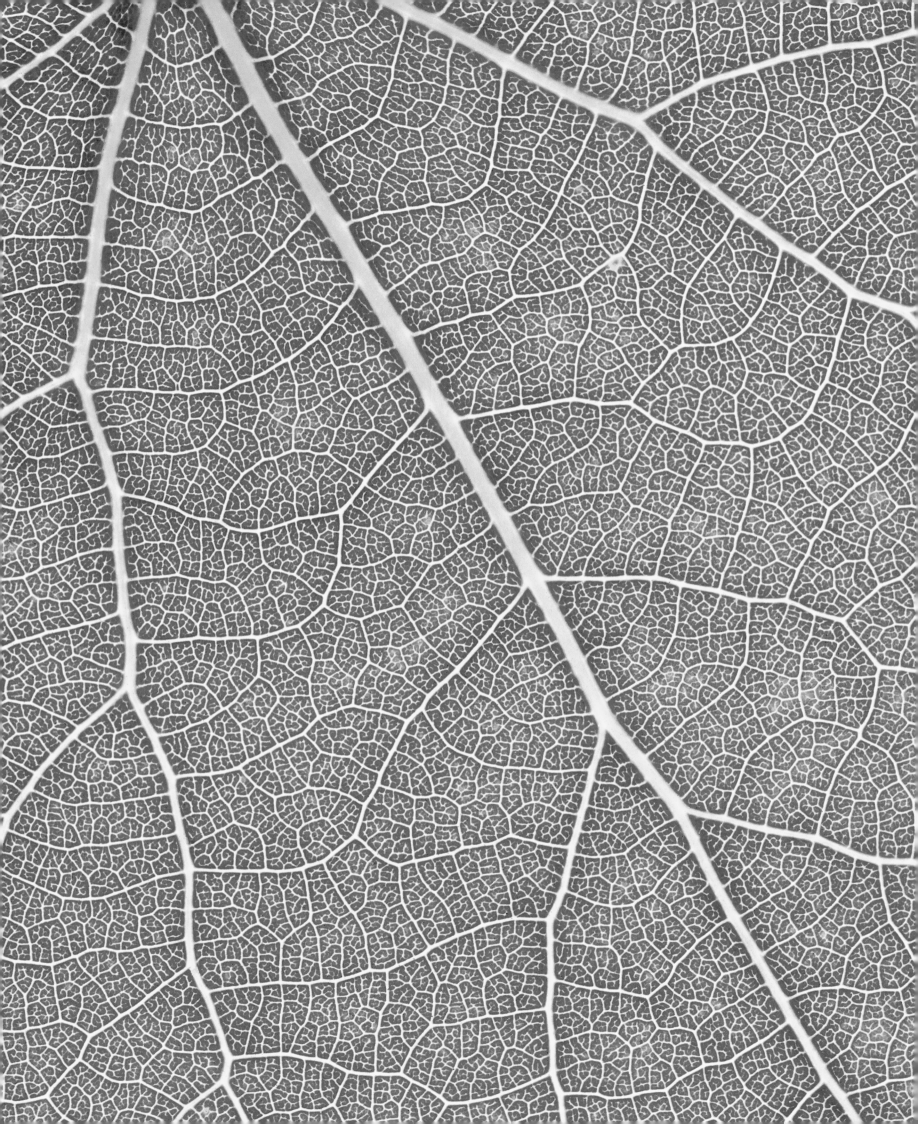

Koivun lehdet puhkeavat etelässä toukokuun alussa, Lapissa noin kuukauden myöhemmin.
The birches gain their leaves early in May in the south, but about a month later in Lapland.

Luonto on monimuotoista. Haavan lehti.
Biodiversity. An aspen leaf.

Kotkansiipilehto Tammisaaren Ramsholmenissa.
An ostrich-fern woodland at Ramsholmen, Ekenäs. ▶

Valkovuokot koristavat keväällä Etelä-Suomen lehtoja.

The herb-rich forests of Southern Finland are adorned with wood anemones in spring.

Suomen laajimmat tammistot ovat Turun Ruissalossa, missä jalopuita kasvaa noin 300 hehtaarin alueella.
Vanha tammi, jonka rungon ympärysmitta on yli neljä metriä ja latvuksen halkaisija noin 25 metriä, on vaikuttava näky.
The largest oak forests in Finland are to be found in an area of about 300 hectares at Ruissalo in Turku.
An oak with a trunk of over 4 metres in circumference and a crown about 25 metres across is an impressive sight.

Pihlaja on yleinen koko Suomessa ulkoluodoilta Lapin tuntureille. Syksyllä sen lehdet saavat
jo varhain ruskan värejä. Kuva yllä: Nurmijärvi, Kiljava, kesäkuu. Kuva oikealla: Utsjoki, Kevo, syyskuu.
Rowans are found throughout Finland, from the outer islands of the Archipelago to the fells of Lapland.
Their leaves turn red early in autumn. Above: Kiljava, Nurmijärvi, in June. Right: Kevo, Utsjoki, in September.

Ensimmäiset lumisateet voivat yllättää lehtipuut jo alkusyksyllä. Helsinki, syyskuu.
The first snow can catch the deciduous trees unawares. Helsinki in September.

Lyhyt kasvukausi on ohi ja lehtiin sitoutuneet ravinteet
palautuvat takaisin luonnon kiertokulkuun. Kirkkonummi, syyskuu.
The brief growing season is over and the nutrients bound in the leaves
return to the earth for recycling. Kirkkonummi in September.

Tunturikoivikko kukoistaa Saanan
lehtojensuojelualueen tuntumassa.
A rich mountain birch forest flourishes
close to the fell of Saana in Lapland.

LAPISSA
SUOMEN HUIPULLA

LAPLAND, ON THE
TOP OF FINLAND

Lappi on monella tavalla oma maansa. Sen karu mutta moni-puolinen luonto sekä alueen erikoisuudet – tunturit, revontulet, ruska, kaamos, maaperän kultapitoisuus ja monet muut seikat – luovat Lappiin usein liitettävän eksotiikan. Siellä ovat myös Suomen laajimmat yhtenäiset erämaa-alueet; niissä on mahdol-lista saavuttaa paikkoja, joissa tuskin kukaan on ennen liikkunut. Lappi ei kuitenkaan ole maisemiltaan yhtenäinen, vaan luonnon piirteet vaihtelevat sen eri osissa.

Eteläiselle Lapille ovat ominaisia laajat suoalueet. Aapasoita on paikoin yli puolet maapinta-alasta. Keskialueet ovat soiden lisäksi tyypillistä kynttiläkuusikoiden ja vanhojen männiköiden hallitsemaa seutua, Metsä-Lappia. Pohjoisimmassa osassa, Tunturi-Lapissa, kohoavat puolestaan maamme komeimmat tunturit, ja ylänköalueilla maasto on puutonta paljakkaa.

Ylimmäs Lapin tuntureista kohoaa Enontekiön kunnan alu-eella, aivan Norjan-vastaisella rajalla sijaitseva Halti, joka on osa Kölivuoristoa. Sen korkeus merenpinnasta on 1 328 metriä. Käsi-varren Yliperällä on nelisenkymmentä muutakin yli 1 000 metriä korkeaa huippua. Eteläisemmän Lapin tunturit jäävät kaikki sel-västi alle kilometrin korkuisiksi.

Lapin ilmasto – kuten koko Suomenkin – on Golf-virran an-siosta paljon leudompi kuin samalla leveysasteella muualla. Vuo-den keskilämpötila on noin viisi astetta lämpimämpi kuin se olisi ilman Golf-virtaa, mutta silti Lapissa on mitattu kylmimmillään yli 50 astetta pakkasta. Etenkin Pohjois-Lapissa ilmasto on kasvil-lisuuden kannalta vaativa: kasvukauden pituus voi tuntureilla olla alle kaksi kuukautta ja hallaöitä voi esiintyä heinäkuussakin. Tun-turien puuttomilla huipuilla vähäinen lumikaan ei juuri anna suojaa talvea vastaan.

Monet kasvit elävät Lapissa elinmahdollisuuksiensa äärirajoilla ja saavuttavat siellä pohjoisimman levinneisyytensä. Esimerkiksi kuusi ei kasva juuri Saariselkää pohjoisempana, mutta mänty sin-nittelee vielä Kaamasen tienoille asti. Puiden kasvu on pohjoisessa hidasta, mutta ne voivat toisaalta saavuttaa hyvin korkean iän. Vanhoja, jopa 700-vuotiaita mäntyjä kasvaa esimerkiksi Inarin Myössäjärvellä, missä vesistön sokkeloisuus on estänyt ajan mit-taan toistuvia metsäpaloja uudistamasta metsää.

Inarijärvi ympäristöineen on Lapin runsasjärvisintä seutua. Järven pohjoispuolisella alueella on laskettu olevan keskimäärin jopa kymmenen pientä järveä ja lampea neliökilometriä koh-den. Inari on Suomen toiseksi syvin ja kolmanneksi suurin järvi. Lapissa on myös kaksi suurta tekojärveä: 1960-luvun lopulla ra-kennetut Porttipahta ja Lokka, joista jälkimmäisen pinta-ala on noin kolmasosa Inarijärven alasta.

Lapland is in many ways a country of its own, with an exotic air about it that is a product of its sparse but highly diverse flora and fauna and the special features of its environment: the fells, the northern lights, the autumn colours, the dark winter days and light summer nights, the traces of gold in the soil – and many other things. It is also here that the largest expanses of wild, unin-habited countryside are to be found, where you can reach places where perhaps no man has ever walked before.

The landscapes of Lapland vary greatly, however. Southern Lap-land is predominantly a region of vast peatlands, *aapa* mires that cover more than half of the land area in many places, while the middle zone, Forest Lapland, has similar mires interspersed with forests of candle spruces or ancient pines, and the northern part, Mountain Lapland, contains the finest fell landscapes and broad treeless uplands in the country.

Rising above all the other mountains is the summit of Halti, 1,328 metres, right on the Norwegian border in the municipality of Enontekiö, and this region, known as the "arm" of Finland, also has about 40 other peaks of over 1,000 metres, all belonging to the Kölen Mountains. The remaining fells of Lapland, lying further south and east, all have their summits well below this level.

The climate, like that of Finland as a whole, is far milder than in any other region at the same latitudes. On account of the Gulf Stream the annual mean temperature is about 5° C higher than otherwise, although occasional temperatures below −50° C have been recorded. This is a severe climate for plant life, of course, especially as the growing season on the fells may last less than two months and night frosts can occur even in July. At the same time, the windy fell tops gather so little snow that this provides no protection from the winter cold. Thus many of the plants are living at the extreme of their range of distribution and their northernmost known occur-rences have been recorded here. Spruce, for instance, is scarcely to be found north of the Saariselkä fells, although pine struggles on gallantly in the Kaamanen area. Growth is slow in the north, but the trees can achieve a prodigious age, so that 700-year-old pines exist at Myössäjärvi in Inari, where the labyrinth of lakes has pre-vented the customary renewal through the agency of forest fires.

The surroundings of Inari have the highest incidence of lakes to be found anywhere in Lapland. Lake Inari itself is the third larg-est and second deepest lake in Finland, and it has been calculated that the area north of it has as many as ten small lakes per square kilometre. Two large reservoirs were built in Lapland in the 1960s, Porttipahta and Lokka, the latter occupying an area about a third of that of Lake Inari.

Syksyn tulo on punertanut riekonmarjan lehdet Saanan rinteellä, taustalla Kilpisjärvi ja Pikku-Malla.
Autumn turns the leaves of the alpine bearberry red on the slopes of Saana. Lake Kilpisjärvi and Little Malla form the background.

Vapaina liikkuvat porot ovat olennainen osa Lapin maisemia. Kittilä, Levitunturi.

The freely roaming reindeer are an essential part of the landscape in Lapland. Levitunturi, Kittilä.

Lapin joet virtaavat yleensä syvissä kuruissa ja jokilaaksoissa. Pohjoinen rajajoki, Jäämereen rauhallisesti laskeva Teno, on virtaamaltaan vasta Suomen kymmenenneksi suurin joki. Tenojoen laakso on kuitenkin maisemiltaan maamme vaikuttavimpia, ja Teno on myös kuuluisa lohistaan. Lemmenjoki ja Ivalojoki puolestaan tunnetaan kultapitoisista rannoistaan. Ivalojoella kullankaivu oli vilkkainta jo 1870-luvulla. Lemmenjoella kaivutyöt alkoivat 1940-luvulla. Ajan patina on jo miltei saanut maisemoida Ivalojoen rannat, mutta Lemmenjoella kullankaivu on aktiivisempaa vieläkin. Suurin Lapista löydetty, ja tilastoihin päätynyt, kultahippu on painanut 393 grammaa ja se löytyi vuonna 1935 Laanilan alueelta.

Kullan lisäksi vahvasti Lappiin liitettäviä luonnonilmiöitä ovat ruska ja revontulet. Ruska värittää syyskuussa lehtipuut ja tunturien rinteiden kasvillisuuden monivivahteisiin keltaisiin ja punaisiin sävyihin. Revontulet näkyvät puolestaan pimeinä vuodenaikoina taivaalla yleensä vihreinä tai punaisina valoilmiöinä. Ne syntyvät, kun auringon hiukkassäteily eli aurinkotuuli virittää lukemattoman määrän ilmakehän atomeja ja molekyylejä ja näiden viritystilojen purkautuminen synnyttää näkyvää valoa.

Lapin eksotiikkaa tarjoavat myös kesällä ympäri vuorokauden paistava aurinko sekä talviset poroajelut, moottorikelkkasafarit ja laskettelu. Monet Lapin tuntureista on otettu turismin käyttöön hiihtohisseineen ja rinneravintoloineen. Nykyisin matkailu onkin metsätalouden ja poronhoidon ohella Lapin merkittävimpiä elinkeinoja.

Länsi-Lapissa matkailua harjoitettiin jo 1700-luvulla, kun keskieurooppalaiset tutkimusmatkailijat nousivat Torniojoen vartta aina Pallastunturille saakka ja markkinoivat matkakertomuksissaan erityisesti Aavasaksaa ja sen laelta näkyvää keskiyön aurinkoa. Aavasaksasta syntyikin Lapin vanhin matkailukohde, ja Kruununpuisto siitä tuli jo vuonna 1878. Itä-Lapin matkailu on selvästi nuorempaa, ja kiinnostus alueeseen kasvoi Ivalojoen kultalöydön jälkeen. Silti varsinainen matkailu muun muassa Saariselälle tuli mahdolliseksi vasta kulkuyhteyksien parantuessa, kun tie Sodankylästä Ivaloon valmistui 1900-luvun alussa. Saariselän suunnitelmallinen rakentaminen matkailua varten alkoi kuitenkin vasta 1960-luvulla.

Lapin alkuperäisiä asukkaita ovat saamelaiset, joiden esi-isiä on usein pidetty Suomen alkuperäisenä, heti jääkauden jälkeen saapuneena väestönä. He ovat vähitellen sekoittuneet lähes kokonaan myöhemmin tulleisiin heimoihin kuten suomalaisiin ja siirtyneet vähitellen asumaan yhä pohjoisemmaksi. Nykyisin enää vain Utsjoen kunnassa saamelaiset ovat enemmistönä.

Lappiin ja saamelaisuuteen vahvasti liitettävä elinkeino poronhoito vakiintui Suomen Lapissa vasta 1600–1700-luvulla. Saamelaisten pääelinkeinon vaihtuminen peuranmetsästyksestä poronhoitoon tapahtui vähitellen peurakannan vähentyessä. Puolivilli poro on kesytetty aikoinaan tunturipeurasta kotieläimeksi ja peurojen houkuttelua varten. Nykyisin poroja on noin 200 000, ja ne elävät suurimman osan vuodesta vapaana luonnossa elävöittäen Lapin karun kauniita maisemia.

The rivers of Lapland mostly flow in deep valleys or canyons. Thus the Teno River, which flows peacefully along Finland's northern frontier before entering the Arctic Ocean, is only the tenth largest in the country in terms of discharge, but it occupies a magnificent valley and is famed for its salmon. The rivers Lemmenjoki and Ivalojoki, on the other hand, are known for the gold sometimes to be found on their banks. The gold rush on the River Ivalojoki reached its peak in the 1870s, so that the scars on the landscape have more or less been healed by the passage of time, while digging in the Lemmenjoki area began in the 1940s. The largest nugget ever declared was found near Laanila in 1935 and weighed 393 grammes.

Two prominent natural phenomena in addition to gold are also especially connected with Lapland: the autumn colours and the northern lights, or *aurora borealis*. The landscapes of Lapland take on an entirely new appearance in September each year, when the deciduous trees and the vegetation on the fell slopes are clad in multiple shades of yellow and red, while the winter darkness is relieved by the streaks of usually green or red light that are created by solar particle radiation, i.e. by the visible light generated upon dispersion of a charge induced by solar winds in infinite numbers of atoms or molecules in the atmosphere.

Other exotic experiences offered by Lapland include the midnight sun in summer and winter events such as reindeer sleigh rides, snowmobile safaris and slalom skiing. Many of the fells have been transformed into skiing resorts and fitted out with lifts and restaurants, contributing to the rise of tourism as one of the main economic activities in Lapland alongside forestry and reindeer husbandry.

Tourism took place in western Lapland as early as the 18th century, when explorers from Central Europe travelled up the River Tornionjoki as far as the fell of Pallastunturi and particularly praised the hill of Aavasaksa and the view of the midnight sun from its top. Thus Aavasaksa became the oldest tourist destination in Lapland and was declared a Crown Park in 1878. Tourism in the eastern part of the region is of more recent origins, as interest grew only after gold was found beside the River Ivalojoki. Travel to the fells of Saariselkä became possible only after the road from Sodankylä to Ivalo was built, in the early years of the 20th century, and systematic development of tourist facilities at Saariselkä began in the 1960s.

The original inhabitants of Lapland are the Saame, whose ancestors are often regarded as the original settlers of Finland in postglacial times. The theory goes that these people became intermixed almost entirely with other tribes who entered the area later, including the Finns, and gradually retreated northwards. Utsjoki is nowadays the only municipality in Finland that has a Saame majority.

Reindeer husbandry, a means of livelihood that is closely associated with Lapland and the Saame, became established in the region only in the 17th and 18th centuries, the changeover from the hunting of wild deer taking place gradually as populations of the latter declined. The reindeer was originally a domesticated strain of deer that was partly used as a lure for the wild deer. There are now some 200,000 reindeer in Lapland, roaming freely in the countryside and thereby enlivening the landscape.

Jäämereen laskeva Teno virtaa Suomen ja Norjan rajalla ja on myös merkittävä lohijoki. Utsjoki, Vetsikko, syyskuu.

The Teno River, which flows along the Norwegian border to the Arctic Ocean, is a fine salmon river. Vetsikko, Utsjoki, in September.

Ruohokanukka syksyn väreissä
Tenon rannalla Utsjoella.
*The dwarf cornel's autumn colours
beside the Teno River in Utsjoki.*

Tunturit, rakkakivikot ja metsien reunustamat suot ovat ominaisia Keski-Lapin maisemille. Kittilä, Aakenustunturi, syyskuu.

The landscapes of Central Lapland are mosaics of fells, scree and mires lined with forests. The hill of Aakenustunturi, Kittilä, in September.

Pyhätunturin Isokuru
Kemijärvellä syyskuussa.
*Isokuru, a gully beside Pyhä-
tunturi, Kemijärvi, in September.*

Tunturipuro laskee Jeähkkašjavriin Enontekiöllä.
A mountain stream flows into Lake Jeähkkašjavri in Enontekiö.

Pyhä-Nattasen graniittiset toorit Sodankylässä ovat ikivanhoja rapautumisjäännöksiä.
The granite tors of Pyhä-Nattanen in Sodankylä are products of ancient bedrock weathering.

Talven ensi merkkejä Enontekiön Naimakkajärvellä.
The first intimations of winter at Naimakkajärvi, Enontekiö. ▶

Lumi ja jää verhoavat maan.
The land is buried beneath snow and ice.

Luonto on taas hiljentynyt. Kittilä, helmikuu.
Nature is silent once more. Kittilä in February.

Epilogi

Edellisestä jääkaudesta on kulunut noin 10 000 vuotta. Tyhjästä aloittanut Suomen elävä luonto on kehittynyt tämän jälkeen valtavasti. Nykyisin meillä tunnetaan yli 40 000 luonnonvaraista eliölajia, ja uusien tulokaslajien ansiosta määrä todennäköisesti vain lisääntyy. Luonto on muokannut ja kasvattanut maisemiemme perustan ja sen vaikutus on edelleen hyvin merkittävä. Esimerkiksi jatkuvasti uutta puuta tuottavat metsät ovat suuri luonnon tarjoama rikkaus suomalaisille.

Ihminen on ajan kuluessa noussut omaan rooliinsa Suomen kehittäjänä mutta myös luonnon ja maisemien muokkaajana. Suomesta on suhteellisen lyhyessä ajassa kehittynyt merkittävä korkean sivistyksen, elintason ja teknologian maa. Maassamme esimerkiksi lukutaitoisten osuus väestöstä ja matkapuhelinten määrä asukasta kohden ovat maailman suurimmat.

Suomalaiset ovat nykyisin edelläkävijöitä myös ympäristön huomioimisessa. Tämä lienee osittain perua vahvasti luonnosta polveutuvista juuristamme. Ekotehokas tuotanto ja elinkaariajattelu ovat tärkeitä asioita tämän päivän teollisuudessa, kun pyritään valmistamaan entistä ympäristöystävällisempiä tuotteita aiempaa vähemmin materiaalein. Tavoitteena on kestävä kehitys, jonka saavuttamiseksi ei kuitenkaan tarvitse palata kauas vanhoihin menetelmiin vaan johon voidaan päästä modernia teknologiaa hyödyntäen.

Suomen upean luonnon ja kulttuuriperinnön merkittävimmät aarteet ovat saaneet varsin hyvät mahdollisuudet säilyttää piirteensä. Nykyisin maamme pinta-alasta on eri tavoin suojeltu yli kymmenen prosenttia, mikä on varsin suuri määrä. Ympäristön suojelu ja huomioon ottaminen vaatii kuitenkin edelleen jatkuvaa aktiivisuutta, sillä esimerkiksi kallioihin, harjuihin tai vanhaan rakennuskantaan kohdistetut toimenpiteet ovat käytännössä peruuttamattomia.

Suomen vaiheet jääkauden jälkeen ovat vain hyvin lyhyt osa luonnon kehitystä. Elämän mahdollistavan ilmakehän syntyminen ja luonnon monimuotoisuus ovat seurausta miljardien vuosien mittaisesta evoluutiosta. Ilmakehällä on keskeinen merkitys ilmaston ja lämpötilan säätelijänä, ja se on herkkä ihmisen aiheuttamille vaikutuksille. Ilmakehä on myös hyvin ohut: jos maapallo olisi halkaisijaltaan kymmenen metriä, niin ilmakehän paksuus olisi vain muutamia senttimetrejä. Luonnon ja ympäristön huomioiminen on yhä useammin globaali kysymys ja vaatii kansainvälisiä toimia kuten ilmastosopimusten laajaa hyväksyntää.

Ainutlaatuisen planeettamme matka jatkuu halki avaruuden. Oman itsemme ja etenkin tulevien sukupolvien hyvinvoinnin ja elämän kannalta on ratkaisevaa, miten täällä elämme.

Epilogue

About 10,000 years have passed since the last glaciation, and the natural environment of Finland, having started out from nothing, has made vast strides within this time. We now have more than 40,000 identified species of wild plants and animals, and the number is likely to increase as new ones move in. Nature has created and developed the foundation for our landscapes and is continuing to build on this. The forests and the continuous supplies of new timber that they produce are a rich gift of nature for the Finns, for instance.

Meanwhile man has gradually adopted the role not only of a developer of the country but also of an agent in shaping its landscapes and natural environment. Thus Finland has emerged within a relatively short space of time as a significant human society with high standards of living, education and technology, even to the point of becoming a world leader in both literacy and the ownership of mobile phones.

The Finns have also established themselves as pioneers of environmental conservation, perhaps because of their reliance on nature in the past. Ecologically efficient production methods and consideration of the whole service life of a product have become matters of importance in industry as attempts are made to produce more environmentally friendly goods using less raw materials. The aim is to achieve sustainable development, not by returning to old methods but by making proper use of modern technology.

There is every chance that the treasures of Finland's magnificent natural environment and substantial cultural heritage can be preserved, for even now well over 10 percent of the country's land area is subject to conservation regulations of one kind or another. It must be remembered, however, that conservation calls for constant vigilance, for any interference with the bedrock, eskers or old buildings, for example, is in practice bound to be irreversible.

What has happened here in post-glacial times is only a brief incident in the history of nature on this planet. The sensitive atmosphere that surrounds us and the total biodiversity observable in nature are the consequences of billions of years of evolution. In this sense protection of the atmosphere and of nature as a whole is a global matter and calls for international initiatives such as wider acceptance of the need for climate control agreements.

As this unique planet of ours continues on its journey through space, the question of how we live in our corner of it is likely to become increasingly important for our own wellbeing, and above all for that of succeeding generations.

Auringon hiukkaspurkausten aiheuttamia revontulia sekä suomalainen tietoliikenneantenni.

The northern lights caused by the solar winds and a Finnish telecommunications aerial.

Lähdekirjallisuutta – *Literature*

ANDREASSON, KRISTIINA & HELIN, VESA (toim.): Suomen vuosisata. Tilastokeskus, Helsinki 2002.

HAEGGSTRÖM, CARL-ADAM et al.: Toukohärkä ja kultasiipi – Niityt ja niiden hoito. Otava 1997.

HEIKKILÄ, TAPIO: Suomalainen kulttuurimaisema. Tammi, Helsinki 2000.

HEINONEN, REIJO (toim.) et al.: Maa, viljely ja ympäristö. WSOY, Porvoo 1992.

HUURRE, MATTI: Kivikauden Suomi. Otava, Keuruu 1998.

KALLIOLA, REINO: Suomen kasvimaantiede. WSOY, Porvoo 1973.

KARISTO, ANTTI et al.: Matkalla nykyaikaan – Elintason, elämäntavan ja sosiaalipolitiikan muutos Suomessa. WSOY, Helsinki 1998.

KOVALAINEN, RITVA & SEPPO, SANNI: Puiden kansa. Kustannus Pohjoinen & Periferia Publications, Oulu 1997.

LAPPALAINEN, IIRIS (toim.): Suomen luonnon monimuotoisuus. Suomen ympäristökeskus & Edita Oy, Helsinki 1998.

LEHTINEN, MARTTI (toim.) et al.: 3000 vuosimiljoonaa – Suomen Kallioperä. Suomen Geologinen Seura, 1998.

LEHTOLA, TEUVO: Saamelainen perintö. Kustannus Puntsi, Jyväskylä 2001.

LOUNEMA, RISTO: Suomen luonnon ihmeitä. Yhtyneet kuvalehdet Oy, Helsinki 2001.

LÖYTÖNEN, MARKKU & KOLBE, LAURA: Suomi – Maa, kansa, kulttuurit. Suomalaisen Kirjallisuuden Seura. Helsinki 1999.

PITKÄRANTA, IRMELI et al. (toim.): Suomalainen maisema. Helsingin yliopiston kirjasto – Suomen kansalliskirjasto, Helsinki 2002.

PUTKONEN, LAURI (toim.): Kansallismaisema. Ympäristöministeriö, Helsinki 1993.

REINIKAINEN, ANTTI et al. (toim.): Kasvit muuttuvassa metsäluonnossa. Tammi, Helsinki 2000.

REUNALA, AARNE et al.: Vihreä valtakunta – Suomen metsäklusteri. Otava & Metsämiesten säätiö, Keuruu 1998.

RIKKINEN, KALEVI: Suomen aluemaantiede. Helsingin yliopisto, Lahden tutkimus- ja koulutuskeskus, Vammala 1990.

TAIPALE, KALLE & SAARNISTO, MATTI: Tulivuorista jääkausiin – Suomen maankamaran kehitys. WSOY, Porvoo 1991.

TULOKAS, RAIJA (toim.): Ympäristötilasto – Environment Statistics 2002. Tilastokeskus, Helsinki 2002.

VALTA, MATTI & ROUTIO, IRENE: Suomen Lehdot. Otava, Keuruu 1990.

VALTONEN, MAURI & OJA, HEIKKI (toim.): Maapallo ja avaruus. Ursan Julkaisuja 25. Ursa, Helsinki 1984.

VIRRANKOSKI, PENTTI: Suomen historia, 1. ja 2. osa. Suomalaisen Kirjallisuuden Seura, Helsinki 2001.

WAHLSTRÖM, ERIK et al.: Ympäristön tila Suomessa. Ympäristötietokeskus & Gaudeamus Kirja 1992.

ZETTERBERG, SEPPO (toim.) et al.: Suomenmaa. Valitut Palat, Helsinki 1997.

ZETTERBERG, SEPPO & TIITTA, ALLAN (toim.): Suomi kautta aikojen. Otava, Keuruu 1992.

Kuvatietoja – *Technical details*

Field-kamera – *Field camera*: Linhof Master Technika 4"×5". Palkkikamera – *Beam-mounted camera*: Linhof Kardan Super Color 4"×5".
Objektiivit – *Lenses*: 47 mm, 90 mm, 120 mm macro, 150 mm, 300 mm. Filmikasetit – *Cassettes*: 4"×5", 6×9 cm, Polaroid.
6×7 -kamera – *Middle format camera*: Mamiya RB 67 PRO-S. Objektiivit – *Lenses*: 50, 90 & 180 mm. Loittorenkaat – *Extension rings*: 45 & 82 mm.
Pistevalotusmittari – *Exposure meter*: Pentax Spotmeter V. Filmit – *Films*: Fuji Velvia 50, Provia 100F & 400F.
Kamerarinkka – *Camera backpack*: Lowepro Super Trekker AW, 3 jalustaa – *3 tripods*.
Kuva sivulla 5 – *Photo on page 5*: Puumala, Lietvesi.
Aukeamat sivuilla 12–13, 44–45, 54–55, 58–59, 88–89 ja 94–95 koostuvat kahdesta erillisestä vierekkäisestä kuvasta.
Double-page photos on pages 12–13, 44–45, 54–55, 58–59, 88–89 ja 94–95 are compiled from two adjacent views.

Kiitokset – *Acknowledgements*

Kiitän lämpimästi kirjahankkeeni tukijoita, ennakkotilaajia sekä seuraavia tekstini tarkastajia ja muita matkan varrella auttaneita –
I wish to express my thanks to all those who have sponsored, subscribed to, reviewed, or otherwise helped in this work:
Professori Matti Tikkanen, graafikko, fil. maist. Markus Itkonen, ylitarkastaja Tapio Lehtiniemi, fil.lis. Pirjo Itkonen, biologi Juha Valste, ylitarkastaja Minna Perähuhta, fil.lis. Mirkka Lappalainen, ylitarkastaja Silja Suominen, amanuenssi Arto Kurtto, ylitarkastaja Tarja Haaranen, tutkija Leena Helynranta, sekä – *and* Satu Kilponen, Raija Nikula, Pekka Väisänen, Mervi Ukkonen, Sakari Nenye, Pentti Karhunen, Kauko & Tuulia Luukkola, Alf & Marja Hemming, Seppo Junnila, Jukka Karvonen ja – *and* Henrik Österlund.